KB195923

산수전원시전

산수전원시집

초판 1쇄 찍은 날 2013년 12월 6일
초판 1쇄 펴낸 날 2013년 12월 10일

지은이 김영국
만든곳 심미안
주 소 501-841 광주광역시 동구 천변우로 487(학동) 2층
전 화 062-651-6968
팩 스 062-651-9690
메 일 simmian21@hanmail.net
등 록 2003년 3월 13일 제05-01-0268호

값 20,000원
ISBN 978-89-6381-103-1 93820

산수전원시선

뼛속에는 쌓은 책 일만 권인데
머리 숙이기 싫어 초야에 묻히는구나.

김영국 편역

심미안

　한시를 지을 때 가장 힘든 것 가운데 하나가 음운의 높낮이를 고르는
일, 즉 평측을 맞추는 일일 것이다. 이 규칙을 지킨 중국 최초의 율격시가
南齊 永明(483~493) 때 생겨난 新體詩이다.

　성운의 연구는 魏晉 때부터 이미 시작되었지만 시가는 청탁을 막힘없이
통하게 하고 언어를 고르게 다듬는 가운데 자연스러운 성운을 추구하고 아직
자각적으로 한자의 사성에 근거하여 성률을 제정하지는 않았다. 중국 문인이
창조한 사성 학설은 偈頌[梵唄] 형식의 불경 송독의 영향을 직접 받았다.

　梵音의 게송이 중국에 전해들어온 뒤 원래의 성조는 점차 흩어지고 宋
齊의 삼백여 성조를 범패 원래의 삼성에 의거하여 한어의 평, 상, 거 삼성
을 구별해내고 입성을 더하여 사성이 되었다. 蕭子良은 영명 때 명승을 초
치하여 새로운 독경 소리를 만들었다. 沈約이 사성과 쌍성첩운에 근거하여
시가 속의 음률의 배합을 연구하였고 謝脁 등은 그의 창도 아래 이런 시가
음률과 晉宋 이래 부단히 발전하고 있던 배우 대구의 형식과 결합시켜 신
체시 창작을 형성하였다. 이 永明體가 唐 때 근체시로 정립되었고 이 근체
시가 오늘날까지 우리가 쓰고 있는 한시 형식인 것이다.

　한국한문학사에서 최경창, 백광훈, 이달을 삼당시인이라고 부른다. 이들
의 문학사적 의의는 고려 고종 이후 당시까지 이백여 년 동안 蘇黃을 위시
한 이념 중심의 宋詩風에 치우쳐 있던 문풍을 王孟李杜의 인간 감정을 보
다 자유롭게 표현할 수 있는 唐詩風를 수용하여 정서의 자유로운 표현을
실천함으로써 봉건 윤리에 의해 가리어졌던 순수한 인간 감정을 재인식하
여 시의 독자적인 세계를 회복했다는 데 있다. 이 당시풍이란 바로 근체시
로 쓴 이백의 자유정신과 두보의 휴머니즘을 말한다.

그런데 당의 시인들은 느낌을 바로 느낌으로 표현하지 않고 산수에 가탁하여 표현하는 전통적인 興比 기법을 씀으로써 독자의 공감의 폭을 넓히면서 동시에 시 예술의 미적 가치를 제고시켰던 것이다. 필자의 은사인 碧初 孫坪琦(1936-) 선생님께서 "도덕 시 쓰지 말고 경물 시 써라."라고 강조하셨는데 당시에는 그 뜻을 몰랐으나 나중에 그것이 바로 당시풍임을 이해하였다.

　선생님 문하에서 공부하였던 시들을 엮어 이 한 책으로 모아 보았다. 한시를 공부하거나 짓는 분들에게 조금이나마 도움이 되면 좋겠다.

2013년 12월 5일　김영국

| 차례 |

산수전원시파의 중국 미학사상의 위치[1]

소위 산수전원시파란 사실 삼중 내포를 포괄한다. 즉 성당에 있어서 王
孟을 대표로 한 祖咏, 常建, 儲光義 등을 포함한 일군의 풍격이 서로 비슷
한 산수 전원에 뛰어난 시인들을 가리키고, 唐代에 있어서 왕맹, 韋柳를 가
리키며 중국 시가사에 있어서는 陶謝, 왕맹, 위유로 이루어진 하나의 완전
한 체계를 가리킨다.

중국 고대문학 비평사에서 산수전원시파라는 이름은 존재하지 않았고
현대문학사 논저 가운데 흔히 쓰이는 개념이다. 다만 만당 때부터 사람들은
陶孟王韋 등 작가들의 예술 풍격이 서로 비슷한 사실에 주의하였다. 명청에
이르러 시화에서 도사, 왕맹, 위유는 산수전원시 최고 성과의 대표로 공인
되었을 뿐만 아니라 늘 동렬의 작가 군으로 논해져 시가사에서의 지위는
더욱더 제고되었고, 심지어 한동안 산수 전원 제재의 범위를 넘어 중국 문
인들의 심미 이상을 대표하는 전범으로 받들어지기까지 하였다. 고대문학
비평사가들은 "시파"라는 이름을 사용하지는 않았지만 실제로는 이 시파의
객관적 존재를 승인했었다.

산수전원시파의 중국 미학사에서의 특수한 위치는 중국 문인들이 특별
히 자연을 애호하는 전통 심미관을 반영하였다. 광대한 지역과 복잡한 지모
는 중국의 산수로 하여금 천자 백태의 기관을 드러내 보이게 하였다. 대자
연은 마치 이 땅 위에 모든 신기함과 빼어남을 모은 것처럼 역대 문인들에
게 대단히 풍부한 창작 원천을 제공하였다. 중국의 장기간 안정된 농경 사
회의 생활 방식은 사람들에게 나면서부터 자연과 연관을 이루게 하였다.

---

[1] 이 글은 북경대학 葛曉音 교수의 『山水田園詩派硏究』(沈陽: 遼寧大學出版
社, 1993)에서 발췌하여 번역하였다.

유, 도, 불 3가 사상의 발전은 사회 발전의 완만한 절주와 서로 적응하여 문인들의 자연관과 인생관에 지속적인 영향을 주었다. 그래서 변새, 규원, 연정, 시사 등 어떤 종류의 제재들도 모두 사회 풍기의 변화로 인해 소장성쇠 할 수 있었다. 오직 산수 전원만은 문인들에게 사람의 사회 속성을 점차 잊히게 하였기 때문에, 일종의 영원히 쇠약해지지 않는 제재가 되어 모든 봉건 사회의 발전과 더불어 시종을 같이하였다. 그리고 상사, 증별, 전송 등 인류 생활 가운데 가장 보편적인 감정들은 산수와 유관하지 않은 것이 없다. 이는 역대 문예 비평가들이 산수전원시를 특별히 중시한 원인의 하나이다.

다른 제재들과 비교해 보면 산수전원시의 표현 예술은 가장 충분하게 발전하였고 또 가장 풍부하고 복잡하다. 특히 도연명과 왕유는 가장 조예가 깊고 가장 완전무결한 경계에 이르러 예술상에서 후세 사람들이 따라잡기 어려운 전범이 되었을 뿐만 아니라, 중국 미학 가운데 가장 중요한 문제들 — 허와 실, 형과 신, 천연과 인공, 경계와 정서 등을 해결하여 宋元 이후에 발전하기 시작한 문인 산수화와 원림 등의 예술에 직접적인 영향을 주었다. 중국의 산수 시화는 모두 "예술 경계 속의 산수"로 자연에 회귀하는 것을 종지로 삼아 사람의 심령이 산수 가운데서 정화되게 하였고, 산수도 예술 작품 가운데서 미화되게 하였으므로 산수 시화는 모두 예술 경계의 창조를 아주 중시하였다. 즉 유형으로 무형을 표현하고 유한으로 무한을 표현함으로써 편집, 세련, 개괄 등의 예술 수법을 통하여 자연미를 재현하는 동시에 또 최대한 상상의 여지를 제공하여 함의가 풍부한 상외의 흥취를 표현해내었다.

이렇기 때문에 중국 산수 시화는 자신의 독특한 시공 의식이 있고 구도는 초점 투시법을 사용하지 않고 큰 것으로 작은 것을 보고, 상하를 둘러보는 방법을 취하여 심령의 부앙하는 안목으로 공간 만상을 보아[2], 모든 경물을 한 폭의 기운이 생동하고 조화를 이룬 예술 화면으로 조직하는 동시에 허실, 소밀 관계의 처리를 강구하고 허 속에 실이 있고 실의 속에 허가 있으며 시 속에 그림이 있고 그림 속에 시가 있으며 공중에 물이 있고 물의 안에 소리가 있는 것을 추구하여 동태미, 생동미와 음악미가 풍부한 공간 경계를 구성하였다.3)

　중국 산수화는 비록 산수시와 동시에 출현하였지만 성숙은 비교적 늦어, 산수시가 왕맹, 위유의 손에서 최고봉에 이르렀을 때 그들의 시경이 문인 산수화에 완미하게 체현된 것은 五代 이후였다. 董源, 李成으로부터 米芾 부자를 거쳐 元代 사대가 黃公望, 王蒙, 吳鎭, 倪瓚에 이르러 흰 명주를 종이로 바꿔 붓에 먹을 많이 묻히지 않고 입체감 있게 칠하는 담묵법을 창안해내 풍격은 간결하고 예스러우며 높고 뛰어나며 천진하고 담박하여 문인 산수화는 극치에 달하였다. 이것은 문인 산수화가 주로 산수시의 심미 취향과 예술 경험의 영향 아래 발전하였음을 설명한다.

　중국 고전 원림도 예술 경계 중의 산수로 웅대한 자연 경관을 인위적으로 지척 간에 농축하여 비록 인작으로부터이지만 완연히 자연으로부터 펴는 자연 풍치의 흥취를 추구하는 것이 중국 조원 예술의 전통이다. 그러나 先秦으로부터 漢代까지 제왕 및 왕공 귀족의 苑囿는 아직도 자연주의로 산림, 못과 들을 모방하였을 뿐이다. 兩晋 이후 사족들이 자연을 좋아하고 산수를 즐겨 담론함으로 말미암아 작고 세치한 사가의 원림이 나타나기 시작하였다. 당송 때 사가 원림은 더욱 흥성하였다. 그러나 진정 자각적으로 산수시와 송원 이래의 문인 산수화의 경계를 원림에 이입한 것은 역시 元明 이후이다. 일부 저명한 문인들은 화가, 공장과 합작하여 원림으로 시와 그림의 경계를 재현하였으며 보다 높은 예술 조예를 구유한 조원의 새로운

---

2) 宗白華「中國詩畵中所表現的空間意識」 "用心靈的俯仰的眼睛來看空間萬象."
3) 張少康의『論意境的美學特徵』 참조.

조류로 秦漢 때의 실제의 산과 큰 골짜기, 심산유곡을 숭상하는 형식과 晉唐 이래 유행한 작은 동산의 아기자기하고 조약돌이 옹기종기한 취향을 대체하였다.

明淸 때의 저명한 고전 원림들은 대부분 그 땅에 알맞게 자연을 잘 모방하고 산수시의 지취와 산수화의 구도를 받아들여 시정과 화의가 풍부한 예술 경계를 창조하였으며 구상과 착상의 소밀이 적절하고 곡절이 충분함을 강구하여 부진함을 가장 좋은 경계로 여기고 한번 훑어보고 남는 것이 없는 것을 가장 꺼렸다. 또한 경치로 막고 경치를 빌려 대비하는 안받침 수법 등을 재간 있게 써서 유인들에게 원림 공간이 넓혀진 느낌을 만들어주어 작은 것 가운데 큰 것을 보는 예술 효과를 찾는 동시에 본말, 원근 관계의 처리를 통해 좋은 경물의 경질과 변환을 통해 사람들에게 산세가 험한 꾸불꾸불한 산길의 버들은 어둡고 꽃은 밝은 신선한 감각으로 황무한 숲과 물에서도 호수와 복수 사이에 있는 듯한4) 참된 홍취를 충분히 느끼게 하였다. 이런 심미 관념 또한 산수 전원시의 예술 경험으로부터 온 것이다.

회화나 원림과 같이 중국의 서예와 음악도 모두 산수 자연의 도야를 받았다. 중국의 문자는 추상적인 점선 필획의 도움을 빌어 객관 물상을 직접 본뜨고 상형에 형성을 더하여 문자가 직관적 상상을 불러일으키는 작용을 갖게 하였다. 그러므로 중국 서도는 언어를 기록하는 부호일 뿐만 아니라 또 민족 미감을 표현하는 예술품이다. 글자의 매듭은 바로 천지 만물이 단숨에 운행, 변화하는 것처럼 단숨에 이를 것을 요구하였고 점획의 기세는 고봉에서 떨어지는 돌 같아야 하고 또 돌을 깨 하늘을 놀라게 하는 역량이 있어야 한다. 운필의 빠름과 느림은 산수와 깊은 계곡, 일월과 뭇 별, 풍우와 수화, 격렬한 천둥과 벼락 등 기쁠만하고 놀랄만한 천지 사물의 변화를

---

4) 『世說新語·言語』 "會心處不必在遠, 翳然林水, 便自有濠濮間想."

하나같이 글씨에 붙여야 하는데5), 백을 헤아려 흑을 당하는 원칙과 산수
시화나 원림 중의 허실 관계는 하나의 이치에서 나왔다.

"거문고와 피리가 아니라도, 산수가 맑은 노래 부른다.6)"와 같이 중국
문인이 이해한 음악도 마찬가지로 자연에서 발원하였다. 뒤섞여 한꺼번에
생기는 합주 음악이 형체 없이 천지에 충만하고 상하 사방을 감싸는7) 소리
가 드문 큰 음악은 곧 우주 속의 소리 없는 음악, 萬籟의 울림이다. 그러므
로 인간 음악의 창조도 고산에서 양양한 뜻을 찾고 유수에서 탕탕한 뜻을
찾는데 있었다. 고산유수가 불러일으킨 정조는 선율로 변하여 사람을 자연
과 합일된 최고 경지로 끌어들였으며 자연 속에서 만들어진 음악 경계는
역으로 다시 자연의 형상을 나타냈다. 사람들을 인도하여 세계 생명의 천만
형상 속 가장 깊은 리듬의 기복을 파악해 보려는 것도8) 사람들이 각종 예
술을 운용하여 산수를 표현해 보려는 공통된 원인의 하나이다. 알 수 있듯
이 陶王을 대표로 한 산수전원시파가 취득한 성과가 중국미학사에서 특별
한 중시를 받는 것은 중국 문인의 생활, 철학과 예술 창조 모두가 산수와
밀접한 관계가 있기 때문이다.

도왕시파가 중국미학사에서 차지한 특수한 지위는 중국 문인들의 한 가
지 중요한 심미 표준을 반영하기도 하였으니, 즉 한산하고 간소하며 담박한
풍격과 천연에서 나와 법식에 맞출 수 없는 경계를 숭상한 점이다. 이런 표
준의 대립 면이 두보, 韓愈를 대표로 한 웅혼하고 조예가 깊으며 넓고 심오
한 풍격과 인력으로 이를 수 있어 규율을 찾을 수 있는 경계이다. 이 두 가
지 예술 표준의 논쟁은 시종 중국 고전 미학 이론의 발전에 수반되었고 淸

---

5) 韓愈「送高閒上人書」) "天地事物之變可喜可愕一寓于書."
6) 左思「招隱詩」"非必絲與竹, 山水有淸音."
7) 『莊子·天運』"逐叢生, 林樂而無形, 充滿天地, 苞裹六極."
8) 宗白華 『中國古代的音樂寓言與音樂思想』 "去把握世界生命萬千形象裏最深的
   節奏的起伏."

代에 와서는 점차 천분과 학력의 논쟁으로 변하였으며 또 성당시와 중, 만당 및 宋詩와의 논쟁과 함께 복잡하게 얽혔다. 도왕시파의 지위도 이런 논쟁 중에서 점차 제고된 것이다.

두 가지 예술 표준의 주요 분기는 천연과 인위, 이 한 쌍의 모순에 있다. 皎然의 『詩式』에서 볼 수 있듯이 일찍이 천보, 대력 연간에 이미 "자연 천진함"과 "고심하여 수식함"의 두 가지 창작 경향이 존재하였는데, "시가 수식을 빌리지 않고 그 질박함에 맡겨 풍운을 바르게만 하면 온전히 천진하여 이름이 상등에 나아간다고 하는데, 나는 그렇지 않다고 본다. 또 고생스럽게 생각할 필요가 없으니 고생스럽게 생각하면 자연의 바탕을 잃게 된다고 하는데, 이도 그렇지 않다고 본다."라고 하였다. 교연은 지극히 어렵고 지극히 험한 구상 단련 과정을 거쳐 외관상 생각하지 않고도 깨닫는 것 같은 경계에 도달할 것을 주장하고 또 지극히 험하되 치우치지 않고, 지극히 기이하되 어긋나지 않고, 지극히 곱되 자연스럽고, 지극히 힘들어도 흔적이 없고, 지극히 가깝되 뜻은 멀고, 지극히 방탕해도 우활하지 않음과, 기는 높되 성내지 않고 힘이 군세되 드러내지 아니하며 다정해도 어둡지 않고 재주가 넉넉해도 거칠지 않아야 한다는 주장을 제기하였는데, 이는 성당 시가의 창작 실천에 부합하는 것이다.

중당 이후 元白, 韓孟 양대 시파는 두시 예술의 "변태"에서 계발을 받아 각기 평이 호방함과 고심하여 지어 기험함, 두 가지 경향으로 발전하여 시가에 큰 변화를 가져왔다. 중, 만당 시인은 좋은 시를 많이 창작하였지만 성당인의 원대한 이상, 영웅적인 기백과 통달한 생활 태도를 잃어버렸고 "苦澀", "怒張", "深僻", "迂遠", "詭怪", "爛熟" 등 시가 이론의 틀이 보다 많아 經史를 쓰느라 책을 떠나지 못하고 약동하려 하느라 경망스러움을 떠나지 못하는 등의 병폐도 따라 생겨났다. 司空圖의 『詩品』은 시단의 현상에 맞추어 성당을 추앙하고 중, 만당을 폄척하는 관점으로부터 출발하여 "심전기와 송지문이 처음 일어난 이후 왕창령이 걸출하였고 이백과 두보가 발양하여 한층 더 빛나게 하였다. 왕우승과 위소주는 취미가 맑고 멀어 맑은 흐름이 관통하는 것 같았으니 대력 십여 공 또한 그 다음이다. 원진과 백거이는 힘은 세지만 기가 잔약하였으니 도시의 豪商이다."라고 지적하였다. 이 말에는 왕유, 위응물을 일파에 귀속시키려는 경향이 뚜렷하게 드러나 있다. 사공도는 시를 논할 때 "운치 밖의 운치", "형상 밖의 형상, 경치 밖의 경치"를 제창한 동시에 시가를 24품으로 나누어 각종 풍격을 묘사하는 형상적인 비유 속에 수수하면서도 변화무쌍한 심미 흥취를 관통시켰다. 그래서 그는 성당을 추앙한 동시에 또 "왕우승 위소주의 맑고 담백하며 정치한" 풍격을 특별히 추켜올렸다. 이 관념은 후세의 妙悟說과 神韻說이 도왕시파의 이론을 숭배하는 기초를 닦아 주었다.

북송 시단은 중, 만당 백거이, 한유, 이상은의 영향을 비교적 많이 받아 소식, 황정견에 와서는 의론을 즐기고 재주와 박식함을 뽐내는 송시의 독특한 풍모가 형성되었다. 이런 창작 실천은 이론에 반영되어 우선 "공력"에 대한 중시로 표현되었다. 宋人이 말한 공력이란 교연이 말한 "고심"과 사공도가 말한 재능을 포괄하여 세심한 구상과 자구의 단련을 주로 하고 또 법도, 학문 등 내포를 증가시켰다. 동시에 송시 가운데 절구는 여전히 자연스럽고 활발한 특색을 지니고 있었다. 북송 시문의 혁신 운동 중에서 구양수, 매요신 등은 의식적으로 고담함과 호방함 두 가지 풍격을 제창하여 송인의 자연스러움과 담박함을 숭상하는 관념도 발전하였다.

소식은 사공도의 뒤를 이어 한산하고 간소 심원하여 필획 밖에 묘미가 있는 鍾王 서법으로 비유하여 蘇武와 李陵의 자연스럽게 이룸, 曹植과 劉楨의 자득, 도연명과 사영운의 초연함이 가장 좋았으며, 이백과 두보 뒤에 시인이 가끔 나와 비록 때로 심원한 운치가 있었지만 재주가 생각에 미치지 못하였고 다만 위응물과 유종원이 간결과 古雅에 섬세함과 짙음을 펴 담박함에 지극한 맛을 붙였으니 다른 사람들이 미칠 바가 아니라고 지적하였다. 그는 자연스럽게 이룸, 자득, 한산함, 예스러워 심원함의 예술 이상을 명확하게 제출하였을 뿐만 아니라 또 사공도의 말을 운용하여 시화 이론을 교류하여 "시와 그림은 본디 한 이치, 천공과 청신", "그림을 논함에 형상과 비슷하여, 아동과 이웃하여 본다.", "글로 내 마음을 나타내고 그림으로 내 생각을 고를 뿐이다.", "사인들의 그림을 보면 천하의 말을 검열하는 것 같은데 그 주밀한 기상을 취한다.9)"고 강조하였다. 이리하여 시화를 모두 천연, 청신의 표준 위에다 통일시키고 아울러 문인화는 응당 형상을 버리고 진수를 전하며 생각을 그려 마음을 나타내야 한다고 밝혔다.

　　바로 이런 예술 주장으로부터 출발하여 소식은 "연명의 시작이 많지 않지만 그 시가 질박하면서도 아름답고 야위었지만 맛이 있어 조식, 유정, 포조, 사영운, 이백, 두보로부터 모든 사람들이 다 미치지 못하였다."라고 하여 陶詩를 미증유의 고도에까지 추거하였다. 그는 왕유의 시 속에 그림이 있고, 그림 속에 시가 있는 예술성과를 크게 칭찬하고 또 "詩老"와 "畫工"의 각도로부터 왕유와 吳道子의 회화 경계의 높고 낮음을 갈라놓았다. 그러나 재능과 학문이 해박한 소식도 공력을 매우 중시하여 맹호연의 시가 운치는 높으나 재주가 짧고 재료가 없다고 비평하면서 주로 맹시가 경사 전고 같은 재학이 부족함을 지적하였다. 소식의 마음속에서 그 예술 이상을 체현한 시인은 주로 도왕, 위유였다.

　　소식과 같이 대다수 송인들은 시가가 흔적 없이 자연스러운 경계에 도달하려면 꼭 열심히 노력하여 학문을 쌓는 단계를 거쳐야 하며 "자연"과 "用工"사이에는 결코 모순이 없다고 보았다. 북송 때 비교적 일찍 "용공"과 "자연"을 대립시켜 놓은 사람은 蔡寬夫이다. 그는 "천하의 일이 뜻이 있어

---

9)『東坡題跋』권5「又跋漢杰畵山」"觀士人畵, 如閱天下馬, 取其意氣所到."

그 일을 하지만 문득 묘를 다하지 못하는데 문장이 더욱 그러하고, 문장 가운데 시가 더욱 그렇다. 이에 세상에 날과 달로 단련한다는 설이 있는데 이런 까닭으로 공부하는 사람은 많아도 명가는 끝내 적다."라고 하고 시어에서 큰 금기는 너무 지나친 공부라는 표준에 근거하여 두시의 어떤 문장은 너무 "精切"함을 추구하여 "天然自在"함이 부족하고, 退之詩는 깊고 완곡함이 부족하다고 비평함으로써 사공도보다 더욱 명확하게 천연을 중시하고 공력을 경시하는 각도로부터 開元詩는 대력 원화 사이의 여러 사람들이 발돋움하여 바랄 수 있는 것이 아니라고 지적하였다. 이로부터 두보, 한유는 "공력파"의 대표로서 "자연파"의 비평을 받기 시작하였다.

남송 시론은 풍격, 흥취, 취미, 구법 등 방면에서 시가의 특징을 탐구하는데 비교적 편중하였다. 張戒, 姜夔 등은 재능, 아취와 자연히 배워지는 것은 서로 통일된 것이라는 관점을 더욱 발전시켰다. 그러나 다른 한편으로 시는 응당 바로 찾아 典故가 없고 經史에 나온 것이 아니며 함축과 자연스럽게 이룸이 상이 되고 평범함과 염담함이 위가 된다고 주장하는 사람들이 더욱 많아져 원진은 가볍고 백거이는 속되며, 孟郊는 차고 賈島는 병들었다며 韓愈 詩가 늘 고생스러운 생각이 말과 다되는 데에 대한 비난도 따라 증가하였다. 이에 용의가 뚜렷하고 여운을 남겨놓지 않는 것도 공력과 학문을 강구한 결과로 간주되어 "자연"이라는 개념의 대립 면에 귀속시켰다.

葉適은 아침 해의 부용은 인력으로 할 수 있는 것이 아니어서 정채와 美妙의 뜻이 자연히 조화의 겉에 나타난다고 하여 자연을 인력으로 할 수 없는 기묘한 경계로 간주하였다. 嚴羽의 『滄浪詩話』는 북송 이래 시가 창작과 이론이 학문과 공력에 편중된 관점을 겨누어 시에서 신묘한 깨달음을 중시하고 흥취와 성정을 추구하는 것과 언어 밖의 의미, 형상 밖의 흥취와의 내재적 연계를 전면적으로 논술하였으며 사공도로부터 채관부, 葉適 등의 의견을 총결하여 계통적인 이론으로 발전시켰다. 그는 "시란 성정을 음영한 것이다. 성당 제인이 오직 홍취에 있어서 영양이 뿔을 걸고 자듯 경계가 초탈하여 찾을 수 있는 자취가 없다. 그러므로 그 묘처는 투철 영롱하여 모여 머무를 수 없다. 공중의 소리, 겉모양 속의 색, 수중의 달, 거울 속의 상 같아 말은 끝이 있어도 뜻은 끝이 없다.", "대저 시는 특별한 재주가 있으니 글과 무관하다. 시는 특별한 정취가 있으니 理와 무관하다."고 인식하였다. 시가는 홍취에 따를 뿐 학문, 이론과는 무관하다는 관점에 근거하여 그는 맹호연과 한유를 비교하여 "시도에도 묘한 깨달음이 있으니 맹호연의 학력이 한퇴지보다 아주 멀리 아래이지만 그 시는 특출하여 퇴지의 위인 것은 묘한 깨달음의 일미일 따름이다."라고 하였다.

"妙悟"와 "學力"의 대립은 孟韓 사이의 고저에서 체현되었고 또 성당인과 송인 사이의 양대 차별에서 구체적으로 표현되었다. 우선 성당시는 기상이 혼후하고 흔적을 찾을 수 없으며 말은 끝이 있어도 뜻은 끝이 없었지만 송인은 문자로 시를 하고 재학으로 시를 하며 의론으로 시를 하는 데다 당인은 홍취를 숭상하되 理가 그 가운데 있는데 송인은 理를 숭상하여 홍취에 병이 있었다. 엄우가 말한 "학력"은 이미 "재학", "의논", "문자", "尙理" 등의 내용을 모두 포괄한다는 것을 알 수 있다. 그의 "묘오"설도 "자연"이란 개념의 확대로 거기에는 "자연"에 이를테면 지나치게 다듬은 흔적을 찾을 수 없고 다하지 못한 뜻을 말 밖에 포함시키는 등 일종의 시가 풍모로서의 기본 특징이 포괄되었으니 직접 성정에서 우러나온 홍취를 가리킨 것이다. 비록 왕유가 일찍부터 "묘오"라는 이 선학 명사를 畵學에 사용하였지만 엄우가 발휘한 창작 영감의 근원이란 각도로부터 시가와 문장, 학문을 구별해 내 시가 창작의 특수 규율을 게시한 것은 시가 이론상에서 하나의 커다란 돌파였다. 엄씨의 시론은 李杜를 정종으로 삼아 사공도, 소식과는 다른 데가 있는데, 이는 그가 유유자적하여 급박하지 않는 풍격에 경도되었으면서도 침착하고 통쾌함도 아울러 고려하였기 때문이다. 그가 禪喩詩로 한위, 성당 시를 제일의로 찬양한 것은 명청 시론의 파쟁의 틈을 열어 주었다.

元代 시론은 대부분 소식, 엄우가 자연을 숭상한 관점을 계승하여 이론 상 뚜렷한 진전이 없었지만 원대 문인화의 성숙은 시화 이론의 합류와 발전에 대하여 중요한 촉진 작용을 하였다. 원 사가의 굴기는 중국 산수화가 형식과 정신을 겸비하는 것으로부터 사의에 전념하는 것으로 전향하는 중대한 변화의 시작을 보여주고 있다. 王紱의『書畵傳習錄』한 단락은 이에 대해 "저 산수를 그림으로 한 것은 종병으로부터 비롯되었다. 육조 사람들은 모두 자세함과 광택에 마음을 기울였고 당송을 지나면서 정규 자로 그리기 시작하였으며 고운 색채를 더해 본보기를 남겨 더욱 세밀한 재능을 보였다. 저 元人에 와서는 사의에 전념하여 흉중의 구학을 쏟고 지상의 운산을 뿌려 오늘까지 답습하여 명수가 적지 않아 고석을 비교함에 실로 서로 큰 차이가 있다."라고 아주 주도면밀하게 설명하였다. 발묵 산수화는 왕유로부터 시작되었지만 당송 산수화는 대부분 벽화와 絹畵였으므로 당연히 청록 金碧으로 착색하고 규구 법도를 강구하였다. 원 사가에 와서야 수묵이 번져 흩어지는 종이의 성능을 충분히 발휘하여 산수화가 "애오라지 흉중의 뛰어난 기상을 그리고", "사대부 詞章의 끝에 일시의 흥취에 맞추는" "먹 장난의 작"이 되게 하였다. 文徵明이 "상고의 그림은 입신하였고, 중고의 그림은 뛰어남에 들었다."라고 한 것은 바로 명청 문인화가 원인의 영향 아래 보편적으로 일품을 추구한 사실을 말한다.

명청 시기 많은 시론가들은 모두 화론에도 능했고 문인화의 흥성 또한 시와 그림의 표준이 점차 일치해지게 하였다. 많은 시론과 화론 가운데 소위 "天趣"는 평담하고 함축적인 풍미와 인력을 쓰지 않고 자연스럽게 이루어진 경계가 이미 삼위일체로 융합되어 시화 예술의 최고 표준으로 되었으며 송인보다 더욱 천연과 공력의 대립을 강조하였다. 明人은 "시는 천기가 있어 때를 기다려 발하고 물을 접촉하여 이루어지니 비록 깊이 찾고 괴롭게 구해도 쉽게 깨닫지 못한다.10)"라고 인식하여 천기의 촉발을 획득하여 자연스럽게 힘들이지 않은 묘경에 도달하려면 오직 기르지 않으면 그 참을 발할 수 없고 깨달음이 아니면 그 묘에 들어갈 수 없는 성정의 수양에 의거하여야 한다고 보았다. 湯顯祖는 이런 "天機"는 생각하지 않고도 이르고 황홀하게 오는 자연스러운 영기로 "화가 이른 곳에 기가 반드시 이르고, 기가 이른 곳에 기미가 반드시 이른다.11)"라고 인식하였다. 결국 明人이 말한 "天趣"와 "化境"은 곧 "神"과 "情性"의 외면화로 이는 곧 엄우의 "묘오"를 일종의 불가지한 "天機"로 진일보하여 해석해냈다. 송인이 추구한 "자연"은 일반적으로 지극히 공을 들여 도달한 조탁한 흔적이 보이지 않는 경계를 가리키는데, 명인이 보기에 이런 "자연"은 역시 인력으로 이를 수 있는 것이고 진정한 자연은 王世貞이 말한 법이 극진하면 자취가 없으니 사람이 능히 가서 이르는 경계가 자연과 일치하는 것은 쉽게 구하지 못하는 천부적인 것이고 인력으로 되는 것이 아니다.

이와 동시에 그들은 또 학문이 많을수록 더욱 깨닫기 어렵다는 관점을 제기하여 "독서가 많은 사람의 병폐는 축적이니 학문이 적은 사람이 정취가 있는 시를 지음만 더욱 못하다.12)"라고 하였다. 謝榛은 남종의 禪悟로 비유하여 육조 혜능은 일자무식이었지만 생각을 정하고 심기를 익혀 이에 쌀 없이 죽 쑤는 법을 깨달았으니, 참으로 육조의 마음으로 마음을 삼으면 깨우침은 어렵지 않다고 하였다. 이러한 관념에서 나와 명인이 보기에 평담한 풍격도 천부적인 것으로 인력으로 양성하기 어렵다고 여겨 "소식은 도연명 시를 몹시 좋아하였는데, 그 맑고 적의함를 귀히 여겼다. 오직 맑음은 이르지 못하니 이르지 못하는 것, 이것이 글의 참된 성령이다.13)"라고 하였

---

10) 謝榛 『四溟詩話』 "詩有天機, 待時而發, 觸物而成, 雖幽尋苦索不易得也."
11) 「朱懋忠制義序」 "化之所至, 氣必至焉, 氣之所至, 機必至焉."
12) 胡震亨 『唐音癸簽』 "多讀書者病堆垛, 更不如寡學人作詩有情韻也."
13) 袁中郎 「啇氏家繩集序」 "蘇子瞻酷嗜陶令詩, 貴其淡而適也. 唯淡也不可造; 不

다. 평담함, 천생, 참된 성정 3자는 서로 인과로 엮여 서로 보완하고 서로 도와갔으며 선학의 생각을 정하고 심기를 익히는 점과 상통한바 왕유는 자연스럽게 이런 예술 이상을 가장 잘 체현한 대표가 되었다. 도연명도 그의 가장 성정이 있고 참된 맛을 우연에서 발하고 지극한 맛을 담연에 붙이는 특징으로 특별한 추숭을 받아 심지어 唐順之는 "도연명은 성률을 견주거나 문구를 꾸미는 적 없이 다만 손에 맡겨 쏟아내면 문득 이것이 우주 간 제1등의 좋은 시였다."라고 강조하였다.

이와 동시에 도왕 풍격과 서로 비슷한 산수 전원시인들도 모두 중시를 받아 맹호연 시는 건안을 본받고 도연명을 존숭하여 충담 속에 건장하고 뛰어난 기상이 있다고 칭송받았고, 李東陽은 "당시에서 이백과 두보 외에 맹호연과 왕유도 대가로 칭할 만하다."고 하였으며, 王世懋는 "작은 시는 왕유 위응물처럼 짓고 장편은 두보처럼 짓고자 하라."고 요구하였다. 胡應麟은 맹호연, 왕유, 상건, 저광희, 위응물, 유종원을 모두 청신한 陶謝 일파에 포함시켰다. 흥취를 종지로 삼아 맑게 비어 유려하고 소쇄하여 대범 고상하며 겸허하게 그윽이 자적하는 시가 경계를 표방하기 위하여 명대 시론도 극력으로 왕유를 치켜 올려 그를 위해 이백, 두보와 병견한 지위를 얻으려 애썼다. 王世貞은 우선 이백, 두보, 왕유 三家詩를 "참으로 이는 삼분 정족이니 다른 사람은 다 미치지 못하였다."고 하였다. 적지 않은 시인들은 심지어 공공연히 두보가 기품이나 격조만 중시하고 고상한 운치가 부족하다고 지적하였다. 屠隆은 "두보는 깊고 웅건하고 광대하여 포괄한 것이 많지만 유독 왕유의 겸허하게 그윽이 자적하고 맑게 홀로 가는 것이 적은데, 이는 두보 생평의 단점이다."고 하고, 왕세정은 "무릇 왕유 詩體를 하는 사람은 반드시 흥취로 발단하여 정신과 인정이 부합하여 혼융하게 트여 뛰어

可造, 是文之眞性靈也."

나 천착한 자취가 보이지 않는다. 비록 두보가 歌行으로 율에 들어갔으나 역시 변풍이라 다작은 맞지 않으니 지으면 경을 상한다."고 하여 실제로 이미 왕유을 중시하고 두보를 경시하는 경향을 뚜렷하게 표현하였다.

王杜 고저의 논쟁과 동시에 전개된 성당시와 중, 만당 및 송시의 논쟁도 있었다. 명인은 高棅의 四分法을 채용하여 성당과 중, 만당 및 송시의 차별을 천연과 인공, 함축하여 총괄하는 것과 생각을 드러내 말을 다하는 것 등 두 가지 예술 풍격의 대립에 귀결시켜, 성당인은 운치를 위주로 하여 뜻에 이르고 말은 공교하여 조식을 빌지 않았으며 시법을 말하지 않았고 유무 간에 흥취를 붙였으며, 중 만당 및 송시는 각의를 정련하여 체격이 날로 낮아져 각고를 좋아하고 특이와 세밀함을 좋아하였음을 강조하였다. 두보는 본시 성당인이었지만 그 시의 용의가 깔끔하고 재력이나 작용 등의 갖가지 변태는 이미 중, 만당과 송시의 오솔길을 열어 놓았으므로 명인은 두시가 韓蘇에 의해 거듭 발전하여 그 표준 또한 점점 거칠어져 "이후의 시를 말하는 사람들은 高大, 기이하고자 하였다. 이는 두보가 세상을 그르쳤고 한퇴지가 다시 그 물결을 종용하였다.14)"라고 여겼다. 알다시피 妙悟, 天機說의 발전에 따라 엄우에게 "지극, 신비"로 추앙 받던 두시는 이미 왕맹시파의 대립 면으로 여겨져 학력으로 뛰어난 韓蘇 일파에 넣어졌다.

시단의 논쟁과 서로 호응하여 위해 명 萬曆 이래 莫是龍, 董其昌, 陳繼儒는 원 사가 이후 문인화의 발전에 근거하여 산수화 分宗說을 제기하였는데, 선종의 남북 두 종을 대비하여 북종은 이사훈 부자가 산에 착색하였고, 남종은 왕유가 처음 渲染法을 썼고 鉤勒法을 일변시켰으며, 李派는 판이 세밀하여 선비의 기상이 없고 王派는 평화롭고 한산하였다."고 구분하였다. 당송 이래 산수화는 이미 소쇄 평담함과 웅장 정연함의 두 가지 풍격의 차

---

14) 『詩鏡總論』 "而後之言詩者, 欲高欲大, 欲奇欲異. 此少陵誤世, 而昌黎復邅其波也."

이가 뚜렷하게 나타났기 때문에 명청에 와서는 吳派와 浙派의 대립으로 발전하였다. 오파는 董, 李, 二米, 원 사가를 본보기로 삼아 고아하고 아름다운 취향을 추구하였고, 절파는 남송의 劉松年, 李唐, 馬遠, 夏珪를 스승으로 삼아 자유분방하고 힘이 있는 격식을 형성하였다. 남, 북종론이 두 파의 차이의 근원을 당대 李思訓의 금벽 산수와 왕유의 발묵 산수의 구별에 귀결짓고 명확하게 "문인화는 왕유로부터 시작되었다.15)"고 제기하여 왕유는 결국 평화롭고 한산한 남종 寫意畵의 창시자가 되었다. 명청 畵論의 서술에 의하면 남, 북종의 구별은 아주 많은 방면에서 표현되었지만 가장 주요한 분기는 "북종은 규구를 중시하여 반드시 상형을 오직 비슷하게 하여 사물을 模寫하는 능사를 다하였고16)" 남종은 마음대로 붓을 휘둘러 정신을 후련하게 할 따름이었는데, 이는 바로 인공과 천연의 풍취, 形을 중시하는 것과 의미를 중시하는 것의 구별이기도 하다.

　왕유가 명대 시화 이론이 이상으로 삼는 흥취를 묘사한 대표로 된 것은 송원 이래 문인들의 예술관이 더욱더 사의를 추구한 결과이며 동시에 또 명대의 철학 사조와도 유관하다. 선학, 이학 이외에 명 중엽에 또 王守仁의 "심학"이 나타나 심외에 일이 없고 심외에 이가 없으며 그 격물의 공이 다만 심신상의 작용에만 있어 일체 참된 지식은 모두 모름지기 자신의 내심으로부터 탐구해 가야만 한다고 주장하면서 객관 사물을 인식할 필요를 완전히 부정하였다. 이런 철학은 晚明 사상계에서 통치 지위를 차지하여 당시 문예 이론 가운데 예술이 내심 세계에서 발원한다고 여긴 이런 관념의 보편적 확립에 대하여 뚜렷한 영향을 주었다.

　晚明의 남, 북종론은 청초까지 발전하여 정통파와 사도파의 극단적 논조로 되었다. 명말 沈顥는 남화는 왕유가 문인을 위해 창시하여 지혜의 횃불

---

15) 董其昌 『畵旨』 "文人之畵, 自王右丞始."
16) 葉德輝 『觀畵百咏』 "北宗重規矩, 必象形惟肖, 極體物之能事."

이 무진하였고, 북화는 이사훈이 전문가를 위해 기치를 세워 날로 이단사설에 나아가 의발이 진토가 되었다고 하였고, 布顔圖는 북종화를 마로 마를 전한다고 질책하기까지 하였다. 남종화의 예술 표준도 더욱 더 협착해져 沈宗騫은 "雅"를 5종으로 나누어 고담하고 천진하여 한 점 색상도 붙이지 않은 고아함을 최고로 보았다. 청초 "四王"은 그저 예스럽고 담박함을 추구하여 필묵이 무미건조하고 힘이 없었으며 안중에 오직 대치 黃公望 일파이고 의중에 이 밖에는 사람이 없었다. 단지 하나의 풍격, 하나의 경계만을 추구하였기 때문에 남종화는 극치로 발전한 이후 아주 빨리 쇠락의 길을 걸었다. 바로 남종 정도의 이론이 일시를 풍미할 때 청초 王士禎이 정식으로 神韻說을 제출한 것도 妙悟說이 극단으로 발전한 산물이다. 이제까지 오랫동안 합일되어 가던 시화 표준도 그로 인해 마지막의 통일을 이루었다. 그는 "성인을 찬양하여 시를 논한 24품이 있는데, 나는 '한 자를 붙이지 않고도 풍류를 다 그려낸다.' 여덟 자를 가장 좋아하고", "시가 이에 이르면 색상이 다 비어 참으로 마치 영양이 뿔을 걸고 자듯 자취를 찾을 수 없으니 화가들이 말하는 일품이 이것이다."고 하였다. 그는 『鸕尾集』에서 진일보하여 원의 倪瓚, 명의 董其昌을 "저 두 대가는 화가들이 말하는 일품이다."라고 설명하고, 그를 도맹, 王柳와 함께 논하였다.

또 사공도는 『詩品』에서 "맑고 특이함을 말하는 자가 '예스럽고 기특함이 신출귀몰하여 담박함을 거둘 수 없다.'고 하는데, 이것이 품의 최상자임"을 지적하였다. 그가 편집한 『唐賢三昧集』의 盛唐諸公篇什에 "더욱 의미가 심오하고 조예가 깊은 시인, 왕유 이하 42인"을 수록하고 "이백과 두보 두 분을 싣지 않은" 것도 그의 "오로지 부드럽고 온화함과 단아하고 심원함을 주로 하고, 웅건함과 뜻이 깊음으로 종지를 삼으려 하지 않은" 선명한 경향성을 나타낸 것이다. 이에 이르러 왕유의 지위는 더욱 李杜보다 초출하여 唐賢 가운데 으뜸이 되었다. 이는 곧 예스럽고 담백하며 조예가 깊은 예술 표준에 근거하여 도왕맹유의 시풍과 남종화를 가장 높은 품위에 올려놓아 중국 문인의 심미 이상의 본보기가 되게 하였다.

왕사정의 신운설은 비록 그의 생전과 사후 일부 사람들의 비평을 받았지만 그의 시가 표준은 사실 이미 당시 그의 논적을 포함한 많은 사람들의 승인을 받았다. 乾隆 연간 학력을 강조하는 관점이 성행할 때도 왕유를 당시의 정종으로 보는 사람들이 여전히 많았다. 청 중엽 이후 왕유를 대표로 한 성당시와 杜韓이 대표가 된 중, 만당 및 송시의 논쟁은 천분과 학력의 논쟁으로 단순화되었고 그 근원은 성정과 詩敎의 구별로 귀결되었다. 두 파의 조화를 주장하는 사람들은 성정을 숭상하는 자는 내용이 없고 학문을 숭상하는 자는 심령이 부족하여 반드시 조화를 일미로 삼아야 이에 갈라져 둘 다 상하지 않는다고 보았다. 일부 도학자들은 더욱 성정과 시교의 논쟁 원인을 선학과 유가의 상이에 돌리고 첨예하게 대립시켜 "시는 풍아를 종지로 삼는데, 仙과 禪 두 씨는 원래 경계에 들지 않는다."고 제시하였다. 晚清의 方東樹를 대표로 한 桐城派 시론과 陳衍, 陳三立을 대표로 한 同光體는 翁方綱의 肌理說과 일맥상통하여 어색하고 의미심장한 학자의 시를 고취하고 杜韓을 송시의 詩宗으로 매듭짓고 왕유를 "풍아와 이소의 뜻을 잃었고 성인의 가르침에 멀다."고 배척하였다. 천연의 풍취와 예스럽고 담박함을 숭상하는 함축적인 신운설을 논박한 뒤에 중국 문예비평사에서의 다른 한 가지, 학력과 웅건함을 숭상하는 의미심장한 미학 표준이 극도로 발전하여 도왕시파의 지위도 그에 따라 폭락하였다.

위에서 서술한 것을 종합하면 알 수 있듯이 도왕시파가 미학사에서 지위가 끊임없이 제고된 것은 묘오설과 신운설이 끊임없이 발전한 결과이고 마지막으로 晚淸 때 질책 당한 것은 또 일군의 도학자들이 학자의 시를 제창하여 옛 시의 쇠망을 만회하려던 기도와 유관하다. 송대 이전에는 자연과 공력, 이 두 개념은 단지 시가의 여러 가지 예술 표준 가운데 두 항목으로 제출해온 것이다. 명청에 이르러 천분과 학력, 성정과 시교 사이의 대립으로 발전되어 시가 창작 영감의 원천, 예술적 교양, 사회적 작용, 형식, 풍격 등 여러 방면의 함의가 포괄되었고 선학과 유교, 이 양가의 미학 사상을 체현한 주요 범주로 변하였다. 이 두 개념의 발전에 따라 송, 원, 명, 청 시론들은 풍격, 경계, 성조, 격률, 법도, 체제, 정리, 문질, 기세 등 여러 방면에서 성당시와 중, 만당 및 송시를 비교하여 당시의 예술 풍모의 초, 성당으로부터 중, 만당까지의 변천에 대하여 많은 정수한 견해들을 발표하였으며 특히 도왕시파의 예술 경험에 대한 총결은 이론상에서 경시할 수 없는 성과를 얻었다. 묘오설과 신운설은 이 시파의 풍격이 변화무쌍하고 청신하며 취미가 맑고 한아하며 전고의 사용은 흔적이 보이지 않고 함의는 함축적이고 의미심장하며 운 밖의 정취와 상 밖의 흥취를 구유한 공통 특색 및 묘오를 중시하고 곧바로 흥취를 찾는 창작 규율을 보아냈으며 도연명으로부터 위유까지의 예술 표현 방면에서의 전통 계승성을 제시하였다. 아울러 작자의 미에 대한 선천적 총명함과 개성적 감정의 시화 창작에서의 중요성을 강조하고 간략하며 맑고 먼 경계, 청신하고 고아한 운치와 천진하고 자연스러운 풍미를 추앙하여 확실히 중국 문인의 심미관과 산수 시화 예술의 전통 특색을 말해냈고 예술 감상의 격조를 제고하였다.

묘오설 중의 유심 성분의 발전에 따라 명청 시론은 단편적으로 불가지의 영감, 천기를 강조하고 공력, 학문 등 필요한 수양을 부정하였으며 생활의 창작에 대한 결정적인 작용을 홀시하고 心과 物의 관계를 뒤바꾸어 놓아 예술 표준은 더욱 협착해지고 심미 흥취도 너무 단일하여 그들의 품평의 객관성에 영향을 주었다. 웅건하고 의미심장하기만 한 종류의 경계를 배척하여 사영운은 산수시의 개창자가 되었지만 풍격이 정려하고 전중함으로 인해 "금분을 퇴적한 북종 일파"에 비유되었고 산수전원시파로부터 배제되었는데, 사실상 산수전원시파의 가장 중요한 특징의 하나는 바로 陶謝詩의 정신, 지취, 심미 관조 방식 및 표현 예술을 융합한 것이다. 왕맹이나 위유를 막론하고 모두 사영운의 "전중하며 고요하고 깊음"을 학습한 일면이 있다. 왕유의 그림도 수묵과 청록 산수에 모두 능숙했고 웅장함과 섬세함, 정교함을 겸비하였다. 남, 북종의 극단적 논조는 산수전원시파와 왕유의 그림이 깨끗하고 비어 맑고 먼 한 가지 경계만 남게 하였는데, 분명히 사실에 부합되지 않는다.

명청 문인들은 또 천분과 학력의 논쟁을 선학과 유교의 분기로 돌렸는데, 만약 명청 양대의 정치 철학 사상의 시가 이론에 대한 삼투 및 도가와 불학 사상의 산수전원시에 대한 영향을 가리킨다면 일리가 있다. 엄우가 禪으로 시를 논한 이래 엄씨의 설을 계승한 명대 시론가들이 대부분 남종의 頓悟說로써 시를 지을 때 천기의 촉발을 비유하기 좋아한 것도 확실히 명 중엽 이후 선학, 심학의 성행 및 이학의 공소함과 유관하다. 산수전원시의 고요히 바라보고 구함을 잊는 심미 방식은 원래 현학과 선학의 마음을 깨끗하게 하여 도를 관조하는 철학 사유의 영향을 받았으며 왕유, 상건, 위응물 등이 창조한 일부 맑고 빈 경계도 확실히 선종의 性空說을 예술 창작 속에 발휘해낸 결과였다. 그러나 왕맹은 모든 성당 시인들과 같이 비록 흥취와 깨달음을 중시하였지만 그 창작의 기본 원칙은 객관적 생활에서 영감을 찾는 것으로 시상은 시의 객관적 자연의 계시에서 온다고 강조하였다. 즉 "호산이 흥을 일으킴이 많으며", "따스한 봄날이 안개 긴 아름다운 경치로 나를 부르고, 대지가 나에게 문장을 빌려 주며", "강산에는 생각이 가득하여 만나면 흥이 일어나고", "초상을 그려 그 정신을 전하는 것이 비록 교묘한 마음이 아니지만 상을 찾고 형을 구해 혹은 다 넌지시 알리며", "상에서 찾아 구하고 경에 마음을 쏟아 물을 정신으로 이해하여 마음으로 말미암아 깨닫는" 것이다. 보다시피 성당인들은 사람의 흥취는 마음을 닦고 생각을 안정시키는 데 기대는 것이 아니라 강산 물색의 촉발로 생기는 것이며 창작은 먼저 객관 물상으로부터 찾아 사상 감정을 경계 속에 녹여 넣어 외물에 대하여 마음속으로 깨닫고 이해하여야만 비로소 시편이 나올 수 있다고 보았다.

산수전원시파는 한층 大謝 산수시가 자연미의 객관적 묘사에 편중된 전통을 계승하여 심신을 객관 물상의 선명한 화면 속에 융합시킨 공통 특징을 형성하였다. 그 경계의 맑고 비어 간결하고 심원함은 바로 물상의 허실, 본말, 번간 등 관계의 변증법적 처리를 통하여 구성된 것이다. 만약 道心과 禪機만 있고 자연미에 대한 고도의 민감함이 없다면 그 결과는 무미건조한 佛偈와 經讚이 나올 수 있을 뿐이다. 그런데 이 산수전원시파의 미감은 사실상 주로 시인이 자연과 우연히 하나로 일치할 때 대자연의 활약하는 생명에 대한 깊은 체득에서 오는 것으로 설사 깊은 정과 차가운 눈의 진여의 청정한 마음일지라도 여전히 신선한 생활의 숨결이 충만해 있다.

요컨대 산수전원시파가 응당 충분한 인정을 받아야 되는 까닭은 주로 이 시파가 중국 시가예술사에서 하나의 극히 높은 심미 표준과 기도하여 미칠 수 없는 본보기를 제공하였고 중국 고대 봉건 문화가 취득한 높은 성과를 반영한 데 있다. 물론 이 시파는 자연미를 구가하는 것을 위주로 하였기에 봉건 사회에서의 중대한 문제와 농촌에서의 현실 모순을 회피하였다. 봉건 사대부의 초연한 세외 생활의 표현도 게으르고 괴팍한 소극적 정서의 유로를 면하기 어려웠다. 그러나 대다수 시가들은 또 시대의 맥박과 상통하고 문인들의 사상 감정의 변화를 통하여 측면으로부터 六朝로부터 중당까지의 사회 변화의 영상을 굴절시켜냈다. 특히 성당의 산수전원시는 시야가 넓고 정조는 건강하여 강개 격앙하는 변새시와 같이 번영 개명한 성세의 기상을 체현하였다. 중국의 웅위하고 장려한 명산대천들은 시인들의 시야와 흉금을 넓혔고 그들의 분발하고 진취하는 열정을 고무하였으며 향촌의 안일하고 평온한 풍광은 또 그들의 성정을 도야하고 그들의 진실을 숭상하는 순박한 심미 이상을 정화하였다. 조국을 열애하고 생활을 열애하는 사상 감정은 성당 산수전원시가 역대 산수전원시와 부동한 참신한 면모를 나타내게 하여 오늘날까지 여전히 사람들의 진지하고 소박함을 애호하는 천연적 심미관과 건강하고 순정한 정조를 배양할 수 있게 하여 사람들에게 생활 철리의 계시를 주고 사람들의 조국 산하에 대한 그리운 정을 불러일으킨다. 그러므로 중국 문학의 보고 가운데 귀한 보배로서 영원히 후인들이 소중히 여길 만한 가치가 있다.

산수전원시

陸機(261~303)의 招隱詩

明發心不夷, 振衣聊躑躅.

새벽까지 마음이 편찮아, 옷을 털고 배회하니.

躑躅欲安之, 幽人在浚谷.

머뭇거리며 어디로 가려는가, 은사가 깊은 골에 있네.

朝采南澗藻, 夕息西山足.

아침에는 남쪽 냇가에서 마름 풀을 뜯고, 저녁에는 서산 자락에서 쉬네.

輕條象雲構, 密葉成翠幄.

가벼운 가지는 높은 집 같고, 빽빽한 잎은 푸른 장막이 되었네.

激楚佇蘭林, 回芳薄秀木.

쓸쓸히 목란 숲에 서 있자니, 향기로운 꽃은 아름다운 나무에 가득하고.

山溜何泠泠, 飛泉漱鳴玉.

산 물은 얼마나 맑게 흐르는지, 폭포수는 옥돌을 씻네.

哀音附靈波, 頹響赴曾曲.

슬픈 노래 강 물결에 부치니, 여운이 은둔지로 달리네.

至樂非有假, 安事澆淳朴.

지락은 거짓되지 않으며, 편한 일에는 순박함이 적은 법.

富貴苟難圖, 稅駕從所欲.

부귀는 구차히 도모하기 어려우니, 멍에를 벗고 하고 싶은 일을 하리라.

赴洛道中作　1

永嘆遵北渚, 遺思結南津.
길게 한숨짓고 북쪽 물가를 따라 가며, 생각다가 남쪽 나루가 떠오르네.
行行遂已遠, 野途曠無人.
가고 가서 이윽고 멀어지니, 들길은 비어 사람이 없네.
山澤紛紆餘, 林薄杳阡眠.
산과 못이 꼬불꼬불 얽혀, 어두운 수풀 길에서 자네.
虎嘯深谷底, 鷄鳴高樹巓.
범은 깊은 골짜기에서 울부짖고, 닭은 높은 나무 끝에서 우네.
哀風中夜流, 孤獸更我前.
바람을 서글퍼하며 한 밤이 지나가고, 내 앞엔 다시 외로운 짐승.

2

遠游越山川, 山川修且廣.
산 넘고 들을 건너 먼 유람길, 산천은 과연 크고도 넓구나.
振策陟崇丘, 安轡遵平莽.
채찍을 들어 높은 산을 넘고, 고삐를 당겨 천천히 평원을 달리네.
夕息抱影寐, 朝徂銜思往.
저녁에는 달그림자를 안고 자고, 아침에 길 떠날 때는 다시 고향 생각.
頓轡倚高巖, 側聽悲風響.

높은 산 위에 올라 말고삐를 매고, 귀 기울이면 싸늘한 바람소리.

淸露墜素輝, 明月一何朗.

맑은 이슬에 떨어지는 달빛, 명월은 어찌 이다지도 밝은지.

撫枕不能寐, 振衣獨長想.

베개를 어루만지며 잠 못 이루다가, 옷을 털고 일어나 홀로 깊은 생각에 잠기네.

左思(250~305)의 招隱詩

杖策招隱士, 荒途橫古今.

죽장 짚고 은사를 찾아가니, 길이 묵어 세월의 흐름이 멎은 듯.

巖穴無結構, 丘中有鳴琴.

바위굴이라 집 지을 필요 없고, 언덕에서 거문고소리 들린다.

白雲停陰岡, 丹葩曜陽林.

흰 구름 그늘진 산등성이에 멈추어 있고, 붉은 꽃이 햇살 받은 숲에서 빛을 발한다.

石泉漱瓊瑤, 纖鱗或浮沈.

돌 틈의 샘물은 옥돌을 씻고, 고운 비늘 물고기가 간혹 떠올랐다 가라앉는다.

非必絲與竹, 山水有淸音.

꼭 거문고와 피리가 아니더라도, 산수가 맑은 소리 지니고 있으니.

何事待嘯歌? 灌木自悲吟.

어찌 휘파람 불고 노래 부를 필요 있겠는가, 키 작은 나무가 절로 슬피 읊조리거늘.

秋菊兼餱糧, 幽蘭間重襟.

가을 국화로 양식을 삼고, 난초로 겹옷의 솜을 넣으리.

躊躇足力煩, 聊欲投吾簪.

배회한들 지칠 뿐이려니, 우선 내 비녀를 뽑아서 버리리.

33

王粲(177~217)의 七哀詩 2

山岡有餘映, 巖阿增重陰.

산마루에는 아직도 석양빛이 남았지만, 산모퉁이에는 점점 어둠이 깔리네.

狐狸馳赴穴, 飛鳥翔故林.

여우와 살쾡이는 제 굴을 찾아들고, 새들은 옛 숲으로 날아가네.

流波激淸響, 猴猿臨岸吟.

뱃전에 부딪치는 맑은 파도소리, 원숭이는 강 언덕에서 울어대는데.

迅風拂裳袂, 白露沾衣襟.

세찬 바람에 옷자락이 펄럭이고, 하얀 이슬은 옷깃을 적시네.

曹操(155~220)의 觀滄海

東臨碣石, 以觀滄海.

동쪽으로 갈석산에 임하여, 바다를 바라본다.

水何澹澹, 山島竦峙.

물은 어찌나 출렁이는지, 산과 섬이 우뚝 솟아 있다.

樹木叢生, 百草豊茂.

나무들이 더부룩이 자라 있고, 온갖 풀들 무성하다.

秋風蕭瑟, 洪波涌起.

가을바람 쓸쓸히 부니, 큰 파도가 솟아 일어난다.

日月之行, 若出其中.

해와 달의 운행이, 그 속에서 나오는 것 같고

星漢燦爛, 若出其裏.

별과 은하수 반짝이는 것도, 그 속에서 나오는 것 같다.

幸甚至哉, 歌以咏志.

행운이 심히 지극하다, 노래 불러 뜻을 읊조리리라.

潘岳(247~300)의 河陽縣作詩 2

川氣冒山嶺, 驚湍激巖阿.

내 기운이 산령을 덮어, 놀란 여울물은 바위 끝에 부딪치네.

歸雁暎蘭畤, 游魚動圓波.

돌아가는 기러기는 난초 밭에 비치고, 노는 물고기 둥근 물결을 일으키네.

鳴蟬厲寒音, 時菊耀秋華.

우는 매미 찬 소리가 사납고, 국화의 계절 가을꽃이 빛나네.

郭璞(276~324)의 游仙詩 1

京華游俠窟, 山林隱遁栖.

서울 번화가에는 떠돌이 협객들이 살고, 산림은 은둔하는 사람들이 사는 곳.

朱門何足榮, 未若託蓬萊.

권문세가들의 영화가 아무리 풍족하다 해도, 봉래산 신선들과 어찌 비교할
수 있으랴.

臨源挹淸波, 陵岡掇丹荑.

샘에 이르러 맑은 물을 마시고, 산에 올라 붉은 영지를 꺾네.

靈溪可潛盤, 安事登雲梯.

신령스런 계곡은 숨어 살기 좋은 곳, 어찌 구름사다리를 오르랴.

王羲之(303~361)의 蘭亭詩 1

仰望碧天際, 俯磐綠水濱
고개 들어 푸른 하늘가를 바라보고, 머리 숙여 푸른 물가에 앉았네.

寥朗無厓觀, 寓目理自陳
끝없는 맑은 하늘을 바라보다, 눈여겨보니 이치가 절로 펼쳐지네.

大矣造化功, 萬殊莫不均
크다 조화의 공이여, 만수가 고르지 않음이 없네.

群籟雖參差, 適我無非新
만상이 비록 들쭉날쭉하여, 나에게는 맞아 새롭지 않은 것이 없네.

2

悠悠大象運, 輪轉無停際
유유히 큰 조짐이 움직여, 바퀴를 굴려 머무르는 적이 없다.

陶化非吾因, 去來非吾制
만들어 기르는 것은 나의 인연이 아니고, 오고 가는 것은 내가 정하는 것이
아니네.

宗統竟安在, 卽順理自泰
종통은 결국 어디에 있을까, 순리에 나아가 절로 태연하다.

有心未能悟, 適足纏利害
마음은 있어도 깨닫지 못하여, 적당한 만족이 이해에 얽힌다.

未若任所遇, 逍遙良辰會
만남에 맡기고 좋은 때를 만나 소요함만 못하다.

支遁(314~366)의 詠懷詩 3

尙想天台峻, 髣髴巖階仰.
천태의 높음을 그려보니, 바위 층계를 쳐다보는 듯.

泠風洒蘭林, 管瀨奏淸響.
맑은 바람은 목란 숲에 뿌리고, 여울 피리는 맑은 소리를 내네.

霄崖育靈靄, 神蔬含潤長
하늘가에는 영묘한 노을이 서리고, 신비한 푸성귀는 물기를 머금고 자라네.

丹沙映翠瀨, 芳芝曜玉爽
푸른 여울엔 붉은 모래가 비치고, 향기로운 영지는 맑은 옥처럼 빛나네.

孫綽(314~371)의 贈謝安詩

逐從雅好, 高跱九霄.

마침내 좋아하는 이를 따라, 높이 구천에 머무르네.

洋洋淥泌, 藹藹丘園.

깊은 샘물 멀리 흘러, 구원이 우거졌네.

庭無亂轍, 室有淸弦.

뜰에 어지러운 수레바퀴 자국 없고, 집에 맑은 거문고 소리 있네.

足不越疆, 談不離玄.

발은 경계를 넘지 않고, 얘기는 오묘함을 벗어나지 않네.

心憑浮雲, 氣齊皓然.

마음은 뜬 구름에 기대고, 기운은 고르고 밝네.

殷仲文(?~407)의 南州桓公九井作詩

獨有淸秋日, 能使高興盡.

맑은 가을 날 홀로 유쾌함을 다하니,

景氣多明遠, 風物自凄緊.

경치 기운은 밝고 심원함이 많아도 풍물은 절로 쓸쓸하고 급하네.

爽籟驚幽律, 哀壑叩虛牝.

상쾌한 피리 소리는 그윽한 가락을 놀래고, 슬픈 구렁은 빈 골짜기를 두드리네.

謝混(?~412)의 游西池詩

悟彼蟋蟀唱, 信此勞者歌.
저 실솔이 세월 유수를 노래하였음을 깨닫고, 이 伐木이 친구 그리움을 노
래하였음을 믿는다.
惠風蕩繁囿, 白雲屯曾阿.
봄바람은 무성한 정원을 흔들고, 흰 구름은 높은 언덕에 멈추어 있다.
景昃鳴禽集, 水木湛清華.
해 기울자 날짐승들 모여들고, 물가의 나무는 맑은 꽃 조용히 물에 비추고
있다.
褰裳順蘭沚, 徙倚引芳柯.
아랫도리를 걷고서 난초 자란 물가를 따라 걷다, 배회하며 꽃 핀 나무 가지
잡아당긴다.
美人愆歲月, 遲暮獨如何.
그리운 벗 세월에 지나쳐버리니, 늘그막에 홀로 어찌할까.

顧愷之(348~409)의 神情詩

春水滿四澤, 夏雲多奇峰.

봄물은 못마다 가득 찼고, 여름 구름은 기이한 봉우리도 많을시고.

秋月揚明輝, 冬嶺秀寒松.

가을 달은 밝은 빛을 발하고, 겨울 산마루엔 추운 소나무 빼어났어라.

謝靈運17)의 過始寧墅

山行窮登頓, 水涉盡迴沿.

산행하면서 한없이 오르내리고, 물 건너면서 물길을 끝없이 오르내렸다.

巖峭嶺稠疊, 洲縈渚連綿.

바위 뾰쪽하고 산등성이 첩첩이며, 큰 물 섬 둘러 있고 잔 물 섬이 연이어 있다.

白雲抱幽石, 綠篠媚淸漣.

흰 구름은 깊은 곳의 바위를 껴안고, 푸른 대나무는 맑은 잔물결 어루만진다.

葺宇臨回江, 築觀基層巓.

---

17) (385~433) 자는 康樂, 陳郡 陽夏(하남 太康)사람으로 동진 謝玄의 손자다. 사현은 재상 謝安의 조카로 일찍이 淝水 전투에서 苻堅을 대패시켜 혁혁한 전공을 세워 康樂縣公으로 봉해졌다. 사영운은 15세에 그의 조부의 작위를 이어받았다. 418년 뒤로는 劉裕가 세운 송에 출사하였다. 모반죄를 범했다고 고발되어 광주에서 사형 당했다. 죽을 때 "한이 망하자 장량은 떨쳐 일어났고, 진이 칭제하자 노중련은 치욕을 느꼈네. 본래 강해 사람들이지만, 충의는 군자를 감동시키네(韓亡子房奮, 秦帝魯連恥. 本自江海人, 忠義感君子.)"라고 시 한 수를 읊어 劉宋 왕조에 신하로 굴복하는 것이 달갑지 않은 그의 본심을 명확하게 나타냈다. 사족의 우월감에다 급격한 성격은 자신의 당국에 대한 불만을 조금도 숨기지 못하였고, 사납고 고집스러운 행위는 유송 왕조의 의심과 경계를 불러일으키지 않을 수 없었으므로 그의 비극적 말로는 필연적이었다.
산수에 빠져 현묘한 도리에 마음을 쓰는 것이 동진 사족들의 풍조로 지위가 높은 사람일수록 영리를 그리지 않고 진속의 초탈을 표현하려고 하였다. 사영운 세속의 때와 먼지에 매이지 않고 미련 없이 太湖 안에 사는 고상한 정취(高情)를 특별히 강조하였고 세속의 일을 멀리하면서 곧은 마음으로 자연의 아름다움을 찾았다. 동진 사대부의 전통 생활 방식을 이어받은 사영운의 산수 유람과 산수시가 동진 玄言詩의 철학 관념과 심미 의식을 반영하는 것은 당연한 일이다.

집을 풀로 이으며 굽이도는 강물을 내려다보고, 누관을 지으면서 높은 산봉우리를 집터로 삼았다.

石壁精舍還湖中作

昏旦變氣候, 山水含淸暉.
아침저녁으로 날씨는 변해도, 산과 물은 언제나 아름답다.

淸暉能娛人, 游子憺忘歸.
아름다운 경치 사람을 즐겁게 하니, 나그네는 편안해져 고향 생각을 잊는구나.

出谷日尙早, 入舟陽已微.
아침 일찍 산골짝을 나왔는데, 배를 타니 벌써 해가 지려 한다.

林壑斂暝色, 雲霞收夕霏.
숲과 계곡은 어슴푸레한 저녁 빛을 보듬었고, 구름과 노을은 석양빛을 모으고 있다.

芰荷迭映蔚, 蒲稗相因依.
무성한 마름과 연은 서로를 비추고, 부들과 돌피는 서로 붙어 기대어 있다.

披拂趨南徑, 愉悅偃東扉.
풀을 헤치며 남쪽 길을 급히 걸어, 즐거운 마음으로 동쪽 사립문에 누웠다.

慮澹物自輕, 意愜理無違.
생각 담담하니 세상사 절로 가볍고, 마음 흡족하니 본성 어길 일 없다.

寄言攝生客, 試用此道推.
섭생을 꿈꾸는 나그네에게 말하노니, 어디 한 번 이 도리로 밀고나가 보게나.

過白岸亭

拂衣遵沙垣, 緩步入茅屋.

옷깃을 떨치고 모래 담을 따라, 느린 걸음으로 모옥에 든다.

近澗涓密石, 遠山映疏木

가까운 시내는 빽빽한 바위 새로 흐르고, 먼 산은 엉성한 나무 새로 비친다.

空翠難强名, 漁釣易爲曲.

수목 울창한 산중 기운은 굳이 이름짓기 어렵고, 낚시질은 굽어지기 쉽다.

游南亭

時竟夕澄霽, 雲歸日西馳

時雨 끝나고 저녁 맑게 개이니, 구름 돌아가고 해는 서녘으로 달려간다.

密林含餘淸, 遠峰隱半規

빽빽한 숲은 맑은 기운 머금었고, 멀리 봉우리가 해를 반 쯤 가렸다.

田南樹園激流植援

群木旣羅戶, 衆山亦對窓.

각양각색의 나무들이 지게문 앞에 늘어서 있고, 뭇 산들도 창문을 마주하고 있다.

靡迤趨下田, 迢遞瞰高峰.

굽이돌며 아래 밭으로 가다가, 멀리 높은 봉우리 바라본다.

晚出西射堂

連嶂疊巇嵾, 靑翠杳深沈.

산봉우리 이어져 봉우리와 산모퉁이 겹쳐, 푸름이 어둡게 깊이 잠겼다.

曉霜楓葉丹, 夕曛嵐氣陰.

새벽 서리에 단풍잎 붉고, 저녁나절 햇빛 이내를 흐린다.

富春渚

亮乏伯昏分, 險過呂梁壑.

빛이 적어 백혼 무인[18]이나 분간하겠고, 여량 골짜기보다 더 험하다.

洊至宜便習, 兼山貴止托.

거듭 닥치니 익혀지기 마련이고, 겸산 괘[19]는 그치고 맡기는 것을 귀히 여긴다.

---

18) 伯昏瞀人은 『열자』에 묘사된 높은 산에 올라 위험한 돌을 밟고 백 길 샘
    에 임해서도 신기가 변치 않는(登高山, 履危石, 臨百仞之泉而神氣不變) 至
    人이다. 呂梁壑 폭포수가 급히 떨어지는 것을 묘사한 것도 『열자』의 열자
    가 여량에서 바라보니 높은 폭포가 물거품을 삼십 리나 흘러 보냈다(列子
    觀于呂梁, 懸水之仞, 流沫三十里.)에서 나온 것이다.

石門巖上宿

朝搴苑中蘭, 畏彼霜下歇.

아침에 꺾은 정원의 난초, 서리 내려 시들까 두려워라.

暝還雲際宿, 弄此石上月.

구름 끝에 자려고 황혼에 돌아와, 바위에 걸린 달을 완상한다.

鳥鳴識夜棲, 木落知風發.

새 울음소리 밤에 깃들인 것을 알리고, 나뭇잎 떨어져 바람 부는 줄 알겠다.

異音同至聽, 殊響俱淸越.

노래는 달라도 다 같이 아름다운 소리요, 색다른 울림 모두가 맑고도 높다.

妙物莫爲賞, 芳醑誰與伐?

이 아름다운 경치 감상해 주는 이 없거늘, 향기로운 청주를 누구에게 자랑할까.

美人竟不來, 陽阿徒晞髮.

---

19) 『周易·坎』 상사의 물이 거듭 흘러오는 것이 습감 괘(象曰 : 水洊至, 習坎.)를 인용하였다. 王弼의 注 험준한 곳이 중첩되어 현격하므로 물이 거듭 흘러오는 것이다. 험준함이 격절하게 하지는 않아 서로 이어져 흘러와 험한 곳이 겹친 것이다(重險懸絶, 故水洊至也. 不以坎爲隔絶, 相仍而至, 習乎坎也.)의 의미는 물이 험준한 곳으로 흐르고 또 흐르는 것은 너무나도 험준함을 잘 알고 또 익숙해졌기 때문이라는 것이다. 또 『周易·艮』 단사의 간 괘는 머무는 상이다. 때가 머물 만하면 머물고, 때가 갈 만하면 가니, 때를 잃지 아니하여 그 도가 광명하다.(象曰:艮, 止也. 時止則止, 時行則行, 動靜不失其時, 其道光明.)와 상사의 겹쳐진 산이 간 괘다. 군자는 그것으로써 생각하여 제 위치에서 벗어나지 아니한다(象曰:兼山, 艮. 君子以思不出其位.)를 썼는데, 그 의미는 사람의 움직임과 움직이지 아니함은 시대에 부합되어야 한다는 것이다. 주역의 어휘를 그대로 옮기는 것은 郭璞 이후 현언시가 늘 사용한 수법이다.

임은 끝내 오지 않고, 햇살 비추는 언덕에서 부질없이 머리를 말린다.

發歸瀨三瀑布望兩溪

退尋平常時, 安知巢穴難
물러나 평상시의 생활 찾는다면, 어찌 나무둥지 굴 속 생활의 어려움을 알
리요.
風雨非攸吝, 擁志誰與宣.
비바람은 그리 걱정할 것이 아니니, 마음속에 품은 뜻 누구와 펼 수 있으
려나.
倘有同枝條, 此日卽千年.
만일에 뜻 같이할 이만 있다면, 이 날이 바로 천 년이 되리라.

從斤竹澗越嶺溪行

猿鳴誠知曙, 谷幽光未顯
원숭이 우니 분명 해 뜰 무렵인 줄 알겠건만, 골짜기 깊어 햇살이 보이질
않는다.
巖下雲方合, 花上露猶泫
바위 아래로 구름이 비로소 모여들고, 꽃잎 위엔 이슬이 여전히 맺혀 있다.
逶迤傍隈隩, 迢遞陟陘峴

구불구불 굽이진 산언덕을 옆에 끼고서, 높고 멀리 절벽과 재를 오르고,

過澗既厲急, 登棧亦陵緬.

시냇물 지나며 이미 급류를 건너고, 나무다리 오르며 또한 먼 산을 오른다.

川渚屢徑復, 乘流玩回轉.

냇물 가를 몇 번이고 왔다 갔다 하다가, 물줄기 타고 완상하며 빙빙 돈다.

蘋萍泛沈深, 菰蒲冒淸淺.

크고 작은 개구리밥이 깊은 냇물 위를 떠다니고, 줄 풀과 창포는 맑고 얕은 냇물 위를 가득 덮었다.

企石挹飛泉, 攀林摘葉卷.

돌 위에서 발 돋우어 솟는 샘물 뜨다가, 나뭇가지 당겨 말려 있는 새순을 따보기도 한다.

想見山阿人, 薜蘿若在眼.

산 구석에 사는 은자 보려고 생각하니, 벽라 옷 신선이 눈앞에 있는 듯하다.

七里瀨

孤客傷逝湍, 徒旅苦奔峭.

외로운 길손이기에 흘러가는 물살에 마음 상하고, 도보 여행자이기에 가파른 산언덕에 괴로워한다.

石淺水潺湲, 日落山照耀.

바위 낮아 물이 졸졸 흐르고, 해 떨어지니 산이 환하게 밝아진다.

荒林紛沃若, 哀禽相叫嘯.

황량한 수풀은 어지러이 무성하고, 서글픈 날짐승들 서로 지저귀며 부른다.

泰山吟

岱宗秀維岳, 崔崒刺雲天
태산은 빼어난 산줄기라, 높고 험준하여 구름 낀 하늘을 찌른다.
崢嶸既崄巇, 觸石輒千眠.
높은 낭떠러지 벌써 험하고 가팔라져, 부딪치는 돌 곧바로 아스라해진다.

登池上樓

池塘生春草, 園柳變鳴禽.
못 둑에 파릇파릇 봄풀이 돋아나니, 동산의 버들 숲에 새소리 변했구나.
初景革緒風, 新陽改故陰.
초봄 햇살이 겨울 여풍 바꿔놓고, 신선한 햇볕이 예전의 음기 바꿔놓네.

謝朓[20]의 游山詩

幸蒞山水都, 復值淸冬緬.

다행히 산수 좋은 마을에 와, 다시 맑은 겨울의 遠遊를 만났다.

凌崖必千仞, 尋溪將萬轉.

절벽을 넘으면 필시 천 길이요, 계곡을 찾으면 거의 만 굽이.

堅巘既岌嶪, 回流復宛澶.

험한 낭떠러지는 겹겹이 솟아 있고, 굽이진 계곡물은 굽이굽이 흐른다.

杳杳雲竇深, 淵淵石溜淺.

아득하니 구름 이는 동굴은 깊고, 깊이 돌 위를 흐르는 냇물은 빠르다.

傍眺郁篠篠, 還望森柟楩.

옆으로 울창한 대나무 숲을 보나가, 고개 돌려 깊은 녹나무 숲을 바라본다.

荒隩被葳莎, 崩壁帶苔蘚.

황량한 물가엔 馬藍과 莎草가 덮여 있고, 무너질 것 같은 낭떠러지엔 이끼

---

20) (464~499) 자는 玄暉, 본적은 陳郡 陽夏이며 사영운의 조카이다. 사영운과
함께 산수시로 우수하였기 때문에 소사라고도 부른다. 494년 宣城 태수를
맡아 재임 3년 동안 많은 산수시를 지었다. 무고를 받아 옥에 갇혀 36세에
죽었다.
永明(483~492) 연간에 생겨난 중국 율격시의 최초 형식인 신체시에 큰 성
과가 있었다. 성운의 연구는 위진 때부터 이미 시작되었지만 시가는 자연
스러운 성운을 추구하고 아직 자각적으로 한자의 사성에 근거하여 성률을
제정하지는 않았다. 중국 문인이 창조한 사성 학설은 불경 송독의 영향을
직접 받아 梵音의 게송이 중국에 전해들어온 후 원래의 성조는 점차 흩어
졌다. 梵音 불경 송독 원래의 3성에 의거하여 보철한 동시에 한어의 평,
상, 거 3성을 구별해내고 입성을 더하여 사성이 되었다. 沈約은 사성과 쌍
성첩운에 근거하여 시가 속의 음률의 배합을 연구하였다. 사조 등은 그의
창도 아래 이런 시가 음률과 진송 이래 부단히 발전하고 있던 배우 대구
형식을 결합 창작하여 신체시가 형성되었기에 永明體라고도 불렸다. 사조
는 바로 이 신체시 창작에서 모범으로 불린 작가이다.

들이 둘러 있다.

鼯狖叫層嶬, 鷗鳧戲沙衍.

다람쥐와 원숭이가 층층이 높은 산에서 울고, 갈매기와 오리가 모래섬에서
노닌다.

游敬亭山詩

茲山亘百里, 合沓與雲齊.

이 산 백 리를 뻗어, 구름과 합쳐 가지런하다.

隱淪旣已托, 靈異居然栖.

은둔하여 이미 맡겨버리고, 영이 속에 편안히 산다.

上干蔽白日, 下屬帶回溪.

위는 막혀 해를 가리고, 아래로는 시내가 둘러 있다.

交藤荒且蔓, 樛枝聳復低.

엉킨 등 넝쿨 거칠고도 뻗질렀고, 굽은 나무 가지는 솟았다 다시 낮아졌다.

獨鶴方朝唳, 飢鼯此夜啼.

아침에는 외로운 학이 울더니, 배고픈 다람쥐 이 밤에 운다.

渫雲已漫漫, 夕雨亦凄凄.

구름이 곱게 흩어지더니, 저녁 비 쌀쌀하다.

我行雖紆組, 兼得尋幽蹊.

내 갈 길 비록 관직에 묶여 있지만, 그윽한 산길을 찾을 수는 있지.

緣源殊未極, 歸徑窅如迷.

근원을 좇자니 자못 끝이 없고, 돌아가는 길 으슥하여 헤맬 것 같다.

要欲追奇趣, 卽此陵丹梯.

모름지기 묘취를 쫓고자 하여, 이곳에 와 높은 산봉우리에 오른다.

和劉中書繪入琵琶峽望積布磯詩

頳紫共彬駁, 雲錦相凌亂.

붉은 빛 자줏빛이 함께 일어 얼룩얼룩, 구름과 비단이 서로 뒤죽박죽.

奔星上未窮, 驚雷下將半.

유성은 끝없이 오르고, 격심한 천둥 반쪽 내며 내려간다.

回潮漬崩樹, 輪困軋傾岸.

조수는 역류하여 나무를 적셔 넘어뜨리고, 기운 언덕에 꼬불꼬불 밀려온다.

巖篠或傍翻, 石菌蕪修干.

바위 가 조릿대는 옆으로 눕기도 하였고, 돌 틈 죽순은 우거져 길게 뻗었다.

澄澄明浦媚, 衍衍淸風爛.

맑고 맑아 밝은 포구 아름답고, 넘실넘실 맑은 바람 불어온다.

江潭良在目, 懷賢興累嘆.

강변에 잠깐 눈이 가, 어진 이 생각에 여러 번 탄식한다.

高齋視事

餘雪映靑山, 寒霧開白日.

잔설이 청산에 비치고, 찬 안개 해를 연다.

曖曖江村見, 離離海樹出.

어슴푸레 강 마을이 보이고, 드문드문 바닷가 나무가 나타난다.

郡內高齋閑望

窓中列遠岫, 庭際俯喬林

창 가운데 먼 산봉우리 벌려 있고, 뜰 가로 교목 숲이 내려다보인다.

日出衆鳥散, 山暝孤猿吟.

해 뜨자 새들은 흩어지고, 산에 해 지자 외로운 원숭이가 운다.

奉和隨王殿下詩　5

輕雲霽廣甸, 微風散淸漪.

가벼운 구름은 넓은 들에서 개이고, 미풍은 맑은 잔물결에 흩어진다.

連連絶雁擧, 渺渺靑煙移.

끊임없이 이어져 기러기 날을 막고, 아스라이 푸른 연기가 옮겨간다.

臨溪送別詩

葉上凉風初, 日隱輕霞暮.
잎 위에 양풍 처음 불고, 해는 엷은 저녁놀에 숨었다.
荒城逈易陰, 秋溪廣難渡.
황성은 멀어 쉽게 어두워지고, 가을 시내는 넓어 건너기 어렵다.

之宣城出新林浦向板橋

江路西南永, 歸流東北鶩.
강 길은 멀리 서남으로 뻗었고, 강물은 동북으로 돌아 바다로 달린다.
天際識歸舟, 雲中辨江樹.
한 점 돌아가는 배는 하늘 끝에 가물거리고, 강변의 나무는 구름 속에 아련하다.

臨高臺

千里常思歸, 登臺臨綺翼.
천리 타향 항상 돌아갈 생각에, 고대에 올라 고운 날개를 내려다본다.
才見孤鳥還, 未辨連山極

돌아오는 외로운 새 겨우 보이고, 끝없이 이어진 산 구별되지 않는다.

四面動淸風, 朝夜起寒色.

사방에 맑은 바람 불어, 아침저녁으로 한색이 인다.

誰知倦游者, 嗟此故鄕憶.

누가 알까 관리 생활에 싫증 난 사람이 이를 탄식하며 고향 그리워하는 줄을.

落日悵望

昧旦多紛喧, 日晏未遑舍.

여명부터 시끌벅적하여 저물도록 쉴 겨를이 없었다.

落日餘淸陰, 高枕東窓下.

석양녘 서늘해져 동창 아래 베개를 높이 베었다.

寒槐漸如束, 秋菊行當把.

낙엽 진 회화나무 갈수록 묶어 놓은 것 같으니, 가을 국화를 따야겠다.

借問此何時? 凉風懷朔馬.

묻노니 지금이 어느 때인가? 찬바람 불어 북방 말은 고향을 그린다.

已傷歸暮客, 復思離居者.

저물어 돌아가는 나그네를 마음 아파하다가, 다시 떨어져 사는 이를 생각한다.

情嗜幸非多, 案牘偏爲寡.

다행히 기호가 많지 않고, 공문도 적다.

旣乏琅玡政, 方憩洛陽社.

낭야의 엄한 정치는 이미 없어졌으니, 이제 소요음영하며 낙양사에서 쉰다.

暫使下都夜發新林至京邑贈西府同僚

大江流日夜, 客心悲未央.

대강은 밤낮으로 흐르고, 나그네 슬픈 마음 끝이 없네.

徒念關山近, 終知返路長.

괜히 관산이 가까운 것을 생각하다가, 결국 돌아갈 길이 멈을 알았네.

秋河曙耿耿, 寒渚夜蒼蒼.

새벽 은하수는 깜박거리고, 찬 물은 밤에 캄캄하네.

引顧見京室, 宮雉正相望.

고개를 길게 빼 경성 궁전을 보니, 궁장이 바로 마주 바라보여.

金波麗鳷鵲, 玉繩低建章.

달빛은 지작관에 휘영청하고, 옥승성 아래 건장궁이 있네.

驅車鼎門外, 思見昭丘陽.

남쪽 정정문 밖으로 수레를 몰아, 서쪽 楚昭王墓의 석양을 보려 하네.

馳暉不可接, 何況隔兩鄉?

해는 잡을 수 없으니, 하물며 뜨고 지는 두 곳이 막힘에야.

風雲有鳥路, 江漢限無梁.

풍운 사이로도 좁은 길이 있건만, 장강과 한수에는 다리가 없네.

常恐鷹隼擊, 時菊委嚴霜.

항상 매에게 치일까 두려워, 가을 국화는 된서리에 쓰러졌네.

寄言罵羅者, 寥廓已高翔.

새그물꾼에게 말해주노니, 이미 넓은 하늘 높이 날아갔다네.

將游湘水尋句溪詩

輕蘋上靡靡, 雜石下離離.
가벼운 개구리밥 물 위에 느릿느릿, 잡석은 물 아래 어릿어릿.
寒草分花映, 戱鮪乘空移.
겨울 풀은 꽃과 나뉘어 빛나고, 노는 철갑상어 공중으로 날아오른다.
興以暮秋月, 淸霜落素枝.
늦가을 달에 일어나 보니, 맑은 서리 흰 가지에 내린다.

游東田

遠樹曖阡阡, 生煙紛漠漠.
멀리 나무들은 자욱이 무성해 있고, 피어나는 안개는 널리 뒤엉키네.
魚戱新荷動, 鳥散餘花落.
고기가 노니 새 연잎이 움직이고, 새가 흩어져 나니 남은 꽃잎이 떨어지네.

和徐都曹出新亭渚

宛洛佳遨游, 春色滿皇州.

완 땅이나 낙양은 놀기 좋은 곳이라지만, 이곳 왕도에도 봄빛이 가득 찼네.

結軫靑郊路, 回瞰蒼江流.

수레를 푸른 교외 길로 달리며, 멀리 파란 장강의 흐름을 바라보네.

日華川上動, 風光草際浮.

햇살은 강물 위에서 움직이고, 풍광은 풀밭 위에 떠 있네.

觀朝雨

朔風吹飛雨, 蕭條江上來.

삭풍이 불어 날리는 비가, 쓸쓸히 강 위에 내린다.

空濛如薄霧, 散漫似輕埃.

자욱하기 엷은 안개 같고, 산만하기 가벼운 티끌 같다.

登山曲

天明開秀萼, 瀾光媚碧堤.

동틀 무렵 고운 꽃이 피고, 물결 빛 푸른 제방에 곱다.

風蕩飄鶯亂, 雲行芳樹低.

바람 표탕하여 꾀꼬리 어지럽게 날고, 구름은 아름다운 나무 밑을 지나간다.

晚登三山還望京邑

灞涘望長安, 河陽視京縣.

파수 가에서 장안을 바라보고, 하양에 당도하여 낙양을 바라보네.

白日麗飛甍, 參差皆可見.

햇빛 아래 빛나는 줄지은 대마루들, 높고 낮은 집들이 완연하구나.

餘霞散成綺, 澄江靜如練.

지는 노을 흩날려 수놓은 비단 같고, 맑은 강물 고요해 흰 비단 같네.

喧鳥覆春洲, 雜英滿芳甸.

물새들은 봄 모래톱에서 울고, 온갖 꽃향기 들판에 가득하구나.

去矣方滯淫, 懷哉罷歡宴.

오랫동안 머물렀소, 이제 가리라, 잊지 못할 즐거운 잔치도 끝나고

佳期悵何許, 淚下如流霰.

돌아올 기약 알면서도 서러운 걸 어이하랴, 진눈깨비 녹는 듯 눈물이 흐르네.

有情知望鄉, 誰能鬢不變?

짐승들도 고향이 그리운 줄 아나니, 누군들 검은 머리 세지 않으랴.

與江水曹至干濱戲詩

遠山翠百重, 回流映千丈.
먼 산은 백 겹으로 푸르고, 돌아 흐르는 물 천 길을 비친다.
花枝聚如雪, 蕪絲散猶網.
꽃가지는 눈같이 쌓였고, 묵은 실은 그물같이 퍼졌다.

賦貧民田詩

舊畛新塍分, 靑苗白水映.
옛 둑과 새 밭 두둑이 나뉘어, 푸른 싹이 맑은 물에 비친다.
遙樹匝淸陰, 連山周遠淨.
먼 나무에는 서늘함이 감돌고, 이어진 산은 두루 멀리까지 깨끗하다.

何遜21)의 望廨前水竹答崔錄事

蕭蕭叢竹映, 澹澹平湖淨.
소소한 대숲 빛나고, 출렁이는 넓은 호수는 맑다.
葉倒蓮猗文, 水漾檀欒影.
나뭇잎은 잔물결에 거꾸로 무늬 지고, 출렁거리는 물 위로 대가 가늘고 길
게 그림자 진다.

暮秋答朱記室詩

游揚日色淺, 騷屑風音勁.
어슴푸레 햇빛 엷어지자, 살랑대던 바람 소리 거세진다.
寒潭見底淸, 風色極天淨.
찬 못은 맑아 바닥까지 보이고, 날씨는 하늘 끝까지 맑다.

---

21) (?~518). 자는 仲言, 東海 郯(지금의 산동 郯城縣 서쪽) 사람인데, 8세에
시를 지을 수 있었다. 尙書水部郞, 廬陵王記室 등을 하였다. 행려, 송별을
잘 썼고 수상 풍광에 뛰어났다.

入西塞示南府同僚詩

薄雲巖際出, 初月波中上.
엷은 구름은 바위 가에서 나오고, 초승달은 물결 위로 떠오른다.
黯黯連嶂陰, 騷騷急沫響.
이어진 산봉우리 그늘 거뭇거뭇하고, 급류는 쏴하고 소리친다.
回楂急礙浪, 群飛爭戲廣.
떼는 돌아와 급히 파도를 막고, 물새 떼 다투어 넓은 수면에서 논다.

下方山詩

寒鳥樹間響, 落星川際浮.
겨울새는 나무 사이에서 울고, 별은 떨어져 냇물 가에 떠 있다.
繁霜白曉岸, 苦霧黑晨流.
된서리 새벽 언덕에 희고, 짙은 안개는 여명에 검게 흐른다.
鱗鱗逆去水, 瀰瀰急還舟.
비늘 같은 물결은 물을 거슬러 가고, 배는 흐르는 물에 바삐 돌아간다.

和劉諮議守風詩

憤風急驚岸, 屯雲仍觸石.
세찬 바람은 휘몰아쳐 언덕을 놀래고, 쌓인 구름은 이내 돌에 부딪힌다.
蕭條疾帆流, 磈礧冲波白.
외로운 돛단배는 빠르게 흐르고, 많은 돌은 물결에 부딪쳐 희다.

夕望江橋示蕭諮議楊建康江主簿

夕鳥已西度, 殘霞亦半消.
저녁 새는 이미 서쪽을 지났고, 저녁놀도 반쯤 흩어졌네.
風聲動密竹, 水影漾長橋.
바람소리는 빽빽한 대를 움직이고, 물그림자 긴 다리에 출렁거리네.
旅人多憂思, 寒江復寂寥.
나그네는 근심이 많은데, 찬 강은 다시 적막하네.
爾情深鞏洛, 予念返漁樵.
그대는 낙양에 정이 깊겠지만, 나는 고기 잡고 땔나무 하러 돌아갈 마음뿐.
何因適歸願, 分路一揚鑣.
어떻게 돌아갈 바람에 맞추겠는가, 갈림길에서 함께 말 재갈을 드네.

與胡興安夜別

居人行轉軾, 客子暫維舟.
주인은 가려고 수레를 돌리고, 손님은 잠시 배를 멈추네.
念此一筵笑, 分爲兩地愁.
이 한 자리에서 웃던 생각은, 나누어 두 곳의 애수가 되리.
露濕寒塘草, 月映淸淮流.
이슬은 찬 못 풀을 적시고, 달빛은 맑은 회수에 비추어 흐르네.
方抱新離恨, 獨守故園秋.
새 이별의 슬픔을 안고, 홀로 고향 가을을 지키리.

相思

客心已百念, 孤游重千里.
나그네 마음 백가지 상념에 젖어, 또다시 홀로 떠도는 수천 리.
江暗雨欲來, 浪白風初起.
강이 어두워지니 비가 내리려나, 물결이 희니 바람이 불려나 보다.

陰鏗22)의 和登百花亭懷荊楚詩

江陵一柱觀, 潯陽千里潮
강릉의 누각 일주관이요, 심양의 천리 조수라오.

風煙望似接, 川路恨成遙
바람 속 연기는 바라볼수록 닿을 것 같은데, 물길 먼 것이 아쉽다오.

閑居對雨又一首

八川奔巨壑, 萬頃溢澄陂
여덟 강줄기 큰 골짜기에 흘러, 만경이 맑은 비탈에 넘친다.

綠野含膏潤, 青山帶濯枝
푸른 들은 기름져 윤택함을 머금고, 청산은 유월 큰비를 띠었다.

---

22) (생졸년 미상). 자는 子堅, 武威 姑臧(지금의 감숙 무위현) 사람이다. 梁에
서 法曹參軍을 하였고 陳에 들어 太守, 員外散騎常侍를 하였다. 행려, 송별
을 잘 썼고 수상 풍광에 뛰어났다.

渡青草湖

洞庭春溜滿, 平湖錦帆張.

동정호에 봄물이 가득하여, 잔잔한 호수에 비단 돛을 펼쳤네.

沅水桃花色, 湘流杜若香.

원수는 복사꽃 빛이요, 상수는 두약 향기로다.

穴去茅山近, 江連巫峽長.

청초호 굴에서 구곡산이 가깝고, 강은 길게 무협까지 이어져 있네.

帶天澄迥碧, 映日動浮光.

맑은 물 하늘에 잇닿아 멀리 푸르고, 햇빛은 반사되어 움직이네.

行舟逗遠樹, 度鳥息危檣.

가는 배는 먼 나무에 걸려 있고, 건너가는 새는 높은 돛대에서 쉬네.

滔滔不可測, 一葦詎能航.

넘실대는 물 헤아릴 수 없으니, 일엽편주로 어떻게 건너갈 수 있을까.

和傅郞歲暮還湘州詩

蒼茫歲欲暮, 辛苦客方行.

푸르고 아득한데 해는 저물려 하고, 고생스런 나그네는 길을 뜨네.

大江靜猶浪, 扁舟獨且征.

장강은 고요하면서도 물결치는데, 편주가 홀로 가네.

棠枯絳葉盡, 蘆凍白花輕.

팥배나무는 말라 단풍잎도 졌고, 갈대는 얼어 흰 꽃이 가볍네.

戌人寒不望, 沙禽迥未驚.

수졸은 추워 망도 못 보고, 물새는 멀어 놀라지 않네.

湘波各深淺, 空軫念歸情.

상강 파도는 깊기도 하고 얕기도 한데, 빈 수레는 마음 가득 돌아갈 생각.

五洲夜發

夜江霧裏闊, 新月迥中明.

안개 속에 밤 강은 넓고, 초승달이 멀리 중천에 밝네.

溜船惟識火, 驚鳧但聽聲.

흐르는 배는 오직 불을 찾고, 놀란 오리는 소리만 들리네.

勞者時歌榜, 愁人數問更.

사공은 때로 뱃노래를 부르며 노를 젓고, 근심 많은 길손 자주 시간을 묻네.

晚泊五洲

客行逢日暮, 結纜晚洲中.

나그네 길에 날이 저물어, 저녁 모래톱에 닻줄을 맨다.

戌樓因崛險, 村路入江窮.

수루는 험준하고, 마을길은 강으로 들어 끊긴다.

水隨雲度黑, 山帶日歸紅.

물은 구름 따라 검어지고, 산은 해를 띠고 붉어진다.

晚出新亭

大江一浩蕩, 離悲足幾重.

대강은 하나같이 넓고 넓어, 이별의 슬픔 몇 겹이던고.

潮落猶如盖, 雲昏不作峰.

조수가 빠지면 마치 우산 같아, 어두운 구름에 봉우리가 되지 못하네.

遠戍唯聞鼓, 寒山但見松.

멀리 수자리의 북소리만 들리고, 추운 산엔 소나무만 보이네.

九十方稱半, 歸途詎有踪.

나이 구십에 반, 돌아가는 길에 어찌 자취가 있으랴.

江津送劉光祿不及

依然臨送渚, 長望倚河津.

의연히 송별하는 물가에 서서, 멀리 강나루를 바라보니.

鼓聲隨聽絶, 帆勢與雲隣.

배 떠나는 북소리 들렸다 그치더니, 돛은 높이 구름에 이어진다.

泊處空餘鳥, 離亭已散人.

나루턱은 비어 새만 남았고, 송별하는 정자에서 사람들은 흩어졌다.

林寒正下葉, 釣晚欲收綸.

숲은 추워 바로 낙엽이 지고, 낚시꾼은 저물어 낚싯줄을 거두려 한다.

如何相背遠, 江漢與城闉.

왜 서로 멀리 떨어져 장강 한수와 성 안에 따로 있을까.

開善寺

鶯隨入戶樹, 花逐下山風.

꾀꼬리는 집안에 뻗은 나뭇가지에 들고, 산바람에 꽃잎은 지는데.

棟裏歸雲白, 窓外落暉紅.

구름은 누각 안으로 돌아가고, 창밖으로 붉은 노을이 진다.

沈約의 石塘瀨聽猿

嘃嘃夜猿鳴, 溶溶晨霧合.

밤 원숭이 구슬피 울고, 새벽안개 질펀히 모인다.

不知聲遠近, 唯見山重沓.

소리로는 원근을 모르겠고, 다만 겹겹산만 보인다.

旣歡東嶺唱, 復佇西巖答.

동쪽 고개에서 불러 기뻐하다가, 다시 서쪽 바위의 대답을 기다린다.

酬華陽先生

所願回光景, 拯難拔危魂.

소원은 산수로 돌아가 재앙을 건져 불안한 마음을 없애는 것.

若蒙九丹贈, 豈懼六龍奔.

만약 仙丹을 얻는다면 어찌 달리는 천자의 수레가 두려우랴.

王融(467~493)의 江臯曲

林斷山更續, 洲盡江復開.

숲이 끊겨도 산은 또 이어지고, 모래톱 다되자 강이 다시 열린다.

雲峰帝鄕起, 水源桐柏來.

하늘에는 산봉우리 같은 구름 일고, 수원은 동백궁에서 온다.

孔稚珪(447~501)의 游太平山

石險天貌分, 林交日容缺.

돌이 험하여 하늘이 나뉘었고, 숲이 엉키어 해의 모양이 이지러졌다.

陰澗落春榮, 寒巖留夏雪.

그늘 진 골짜기는 봄에 꽃을 떨어뜨리고, 추운 바위는 여름에 눈을 붙잡는다.

陶淵明[23]의 飲酒 2

善惡苟不應, 何事空立言?

선과 악이 제대로 보응되지 않거늘, 어째서 공연한 말만을 내세웠는가?

不賴固窮節, 百世當誰傳?

선비의 몸 고궁의 절개 아니고서, 영원한 후세에 어찌 이름 전하리오?

5

采菊東籬下, 悠然見南山.

동녘 울타리 아래에서 국화를 따다, 유연히 남산을 바라본다.

山氣日夕佳, 飛鳥相與還.

---

23) (365~427). 자는 元亮 , 원명이 淵明인데 송에 이르러 潛으로 개명하였다.
潯陽 柴桑郡(지금의 江西 九江 서남) 사람으로 조부와 부친은 일류 관직인
태수를 역임하였으며, 그의 외조부 孟嘉는 동진 명사였다. 이런 가정 전통
은 도연명의 사상에 상당히 많은 영향을 미쳤다.

29세 되던 해에 처음 관직에 나가 江州 祭酒가 되었으나 위아래로 응대하
는 괴로운 직책을 견딜 수 없어 바로 사직하고 고향에 돌아와 몸소 농사
를 지어 스스로를 도와 한거하는 생활을 시작하였다.

41세 8월에 彭澤令으로 옮겼으나 11월에 사직하고 고향으로 돌아와 歸去來
兮辭 를 지었다. 『송서』 본전에 고향으로 돌아간 이유를 군에서 보낸 독
우가 이르자 현리가 마땅히 의관속대하고 맞이해야 한다고 하자 잠이 탄식
하여 말하기를 '내 쌀 다섯 말 때문에 향리 소인에게 허리를 굽히지는 못
하겠다!' 하고 그날로 인수를 풀어 사직하였다(郡遣督郵至, 縣吏白應束帶見
之, 潛嘆曰: '我不能爲五斗米折腰向鄕里小人!'卽日解印綬去職)"고 하였다. 도
연명이 죽자 顔延之가 그를 위해 글을 쓰고 시호를 靖節徵士라고 하였다.

산기는 날이 저물자 더 좋아져, 나는 새들도 어울려 돌아온다.

此中有眞意, 欲辯已忘言.

이런 가운데 참된 뜻이 있으니, 이를 설명하려다가도 어느덧 말을 잊는다.

7

日入群動息, 歸鳥趨林鳴.

해지자 모든 움직임이 쉬고, 깃드는 새는 숲속으로 울며 날아간다.

嘯傲東軒下, 聊復得此生.

동쪽 툇마루 아래 휘파람 불며 거니니, 또 다시 이 삶을 얻은 듯하다.

己酉歲九月九日

萬化相尋繹, 人生豈不勞.

만물은 끊임없이 변하나니, 인생이 어찌 고달프지 않으랴.

從古皆有沒, 念之中心焦.

예로부터 사람이란 누구나 죽기 마련, 그것을 생각하면 마음이 초조해지네.

還舊居

流幻百年中, 寒暑日相推
백년 인생은 유전변화하며, 계절은 나날이 떠밀 듯 흘러가네.
常恐大化盡, 氣力不及衰
일찍 죽어 쓰러질까 두렵구나, 아직 기력 다하지 않았는데.

神釋

縱浪大化中, 不喜亦不懼.
우주 대자연의 변화 속에 일체가 되면, 인간적인 기쁨 슬픔도 없을 것일세.
應盡便須盡, 無復獨多慮.
쓰러져야 할 생명 어서 보내게, 혼자 미망에 빠져 걱정하지 말게.

雜詩 2

光陰擲人去, 有志不獲騁.
세월은 사람을 멀리 피하니, 뜻대로 잡아타고 달릴 수 없어라.
念此懷悲凄, 終曉不能靜.
이것을 생각하면 처량한 기분, 날이 새도록 잠 못 이루고 뒤척이네.

77

庚戌歲九月中于西田穫早稻

山中饒霜露, 風氣亦先寒.
산중엔 서리와 이슬이 많고, 날씨 또한 먼저 추워진다.
田家豈不苦, 弗獲辭此難.
어찌 농민이 고생스럽지 않겠는가, 이런 어려움을 마다할 수 없고,
四體誠乃疲, 庶無異患干.
온몸이 정말 피곤하지만, 갑작스런 재난이 없기만을 바란다.

勸農

民生在勤, 勤則不匱.
사람의 삶은 부지런함에 있으니, 부지런하면 굶주리지 않는다.
宴安自逸, 歲暮奚冀!
안일하게 놀기만 하면 연말에 무엇을 바랄 것인가!
儋石不儲, 飢寒交至.
곡식의 저축이 없으면 굶주림과 추위에 몰린다.
顧爾儔列, 能不懷愧!
그대들은 일하는 농부들에게 부끄럽지는 않은가!

庚戌歲九月中于西田穫早稻

人生歸有道, 衣食固其端.
인생은 결국 자연으로 돌아가는 것, 먹고 입는 것은 그 시작이다.
孰是都不營, 而以求自安?
누가 이것을 강구하지 않고, 자기의 안존을 찾을 것인가?

桃花源詩

俎豆猶古法, 衣裳無新制.
옛날의 법도대로 제사를 지내고, 옷차림은 새로운 유행이 없는데.
雖無紀曆志, 四時自成歲.
비록 달력이 없어도, 사시사철이 절로 세월을 말하네.
相命肆農耕, 日入從所憩.
운명을 같이하여 농사를 짓고, 해 지면 하던 일을 쉬다.
春蠶收長絲, 秋熟靡王稅.
봄에는 누에를 쳐 실을 거두고, 가을엔 곡식이 익어도 세금이 없네.

歸園田居 1

少無適俗韻, 性本愛丘山.

젊어서부터 세상의 속기에 알맞지 않았고, 천성은 본디부터 산림을 좋아하였다.

誤落塵網中, 一去三十年.

티끌 세상에 잘못 떨어져, 어느덧 삼십년이 지났구나.

羈鳥戀舊林, 池魚思故淵.

새장 속의 새는 옛날 살던 숲을 그리워하고, 연못의 물고기는 옛날 살던 깊은 못을 그리워한단다.

開荒南野際, 守拙歸田園.

남쪽 들 한 끝을 일구고, 본성을 지키려 고향으로 돌아왔다.

方宅十餘畝, 草屋八九間.

모난 텃밭은 십여 이랑이 되고, 초가집은 팔구간인데.

楡柳蔭後簷, 桃李羅堂前.

느릅나무 버드나무는 뒤편 처마를 가리고, 복숭아나무 자두나무가 대청 앞에 늘어서 있다.

曖曖遠人村, 依依墟裏煙.

어슴푸레 멀리 인가들이 보이고, 마을에선 가늘게 연기가 피어오르고 있다.

狗吠深巷中, 鷄鳴桑樹顚.

깊숙한 골목 안에선 개짖는 소리가 들리고, 뽕나무 꼭대기에선 닭이 울고 있다.

戶庭無塵雜, 虛室有餘閑.

집안에는 지저분하고 잡된 일이 없고, 조용한 빈 방에는 한가함이 깃들어 있다.

久在樊籠裏, 復得返自然.

오랫동안 새장 속에 있다가, 또다시 자연으로 돌아왔노라.

2

種豆南山下, 草盛豆苗稀.

남산 아래 콩을 심었더니, 풀이 성해서 콩 싹이 드물다.

晨興理荒穢, 帶月荷鋤歸.

이른 새벽에 잡초 우거진 밭을 매고, 달과 함께 호미 메고 돌아온다.

道狹草木長, 夕露沾我衣.

길은 좁은데 초목이 더부룩하니, 저녁 이슬이 옷을 적신다.

沾衣不足惜, 但使願無違.

옷 젖는 것은 아까울 것 없으니, 다만 바라는 농사나 뜻대로 되기를!

和郭主簿 1

春秫作美酒, 酒熟吾自斟.

차조를 찧어 술을 빚고, 술이 익어 나 홀로 잔을 드네.

弱子戲我側, 學語未成音.

어린 자식은 옆에서 재롱을 떨고, 말을 배우느라 웅얼거린다.

2

和澤周三春, 清凉素秋節.

따뜻한 혜택 봄 석 달에 고르고, 가을은 본디 청량한 계절.

露凝無游, 天高肅景澈.

이슬방울 맺혀 습한 기운 없고, 하늘이 높고 맑아 경치가 깨끗하네.

陵岑聳逸峰, 遙瞻皆奇絶.

큰 산에 솟은 빼어난 봉우리, 멀리서 바라보니 모두 더없이 기이하고.

芳菊開林耀, 青松冠巖列.

국화는 아름답게 피어 숲이 빛나고, 푸른 솔은 바위 위에 줄지어 섰네.

懷此貞秀姿, 卓爲霜下杰.

이 곧고 빼어난 자태가 좋아, 높이 서리 아래 호걸이 되네.

銜觴念幽人, 千載撫爾訣.

잔을 들고 은자를 생각하니, 천년 이래 국화와 솔의 고절을 지켜왔느니.

檢素不獲展, 厭厭竟良月.

서신은 받지 못하고, 답답하게 좋은 달을 보내버리네.

移居

春秋多佳日, 登高賦新詩.

봄가을엔 날이 좋아, 산에 올라 새 시를 읊고.

過門更相呼, 有酒斟酌之.

문 앞을 지나면 서로 불러, 술을 있는 대로 권하네.

農務各自歸, 閑暇輒相思.

일이 바쁠 때는 각자 돌아가고, 한가할 때면 늘 생각나게 마련.

相思則披衣, 言笑無厭時.

생각나면 옷을 털어 입고 찾아가, 담소하며 지루한 줄 모르네.

此理將不勝, 無爲忽去玆.

이보다 더 좋은 생활 어디 있으랴, 이곳을 떠날 생각일랑 하지 말자.

衣食當須紀, 力耕不吾欺.

의식주는 모름지기 스스로 마련해야 옳은 것, 힘써 갈아 나를 속이지 않으리.

讀山海經 1

孟夏草木長, 繞屋樹扶疏.

첫여름 초목이 자라나니, 집을 둘러싸고 나뭇가지 우거졌다.

衆鳥欣有托, 吾亦愛吾廬.

뭇 새들은 깃들 곳 있음을 기꺼워하고, 나도 또한 내 움막을 사랑하노니.

旣耕亦已種, 時還讀我書.

밭 갈고 또 씨 뿌린 뒤에는, 때때로 또 나의 책을 읽는다.

窮巷隔深轍, 頗回故人車.

호젓한 골목은 깊은 수레자국난 한 길과 떨어져 있으니, 자못 옛 친구의 수레도 되돌려 보내곤 한다.

歡然酌春酒, 摘我園中蔬

흔연히 봄 술을 딸아 마시며, 남새밭의 나물을 뜯어 안주로 한다.

微雨從東來, 好風與之俱.

보슬비가 동녘으로부터 뿌려오니, 상쾌한 바람이 함께 불어온다.

泛覽周王傳, 流觀山海圖.

주나라 목천자전 을 두루 훑어보고, 산해경 의 그림을 모두 구경한다.

俯仰終宇宙, 不樂復何如.

머리 숙였다 드는 동안에 우주를 다 구경하니, 즐겁지 않고 또 어떠한가!

10

精衛銜微木, 將以塡滄海.

정위24)는 가는 나뭇가지를 물어다가, 창해를 메우려 하였다.

刑天無干戚, 猛志固常在.

황제와 싸우던 형천은 목이 떨어져서도 방패와 도끼를 들고 춤을 추었으니,

이처럼 맹렬한 정신은 어느 시대나 항상 있는 법.

---

24) 炎帝의 딸 女娃가 익사하여 되었다는 새로, 西山의 돌을 물어다 東海를 메
   우려 하였다 한다.

庾信[25]의 奉報窮秋寄隱士

王倪逢齧缺, 桀溺耦長沮.

왕예는 설결을 만나고, 걸닉과 장저는 나란히 밭을 가네.

藜床負日荷, 麥壟帶經鋤.

명아주 평상에서 햇볕을 쬐고, 경서를 지니고 보리 이랑을 매네.

自然曲木幾, 無名科斗書.

자연히 굽은 나무 몇이나 될까, 이름 없는 과두문자 글.

聚花聊飼鶴, 穿池試養魚.

꽃을 모아 아쉬운 대로 학을 먹이고, 못을 파 시험 삼아 물고기를 기르네.

小村治澁路, 低田補壞渠.

작은 마을의 좁은 길을 닦고, 낮은 밭의 무너진 도랑을 보수하네.

秋水牽沙落, 寒藤抱樹疎.

가을 물은 모래를 씻어 떨어지고, 찬 등 넝쿨은 나무를 감고 올라간 것이 성기네.

空枉平原騎, 來過仲蔚廬.

속절없이 평원을 돌아 말을 몰아 와 울형 집을 지나오.

---

25) (513~581). 자는 子山, 南陽 新野(지금의 하남 신야현) 사람이다. 초년에 부친 庾肩吾와 함께 梁朝에서 벼슬을 하고 문장 풍격이 고와 蕭綱의 총애와 신임을 받았다. 侯景의 난 때 그는 강릉으로 가 양 원제를 보좌하였다. 42세 때 외교 사명을 받고 西魏에 갈 때 바로 서위군이 강릉을 함락하여 장안에 남아 북조에 굴복하여 벼슬을 하였다. 서위가 북주에 의해 멸망된 뒤 그는 비록 주 왕실의 예우를 받았지만 절개를 버리고 적을 섬긴 행위는 그로 하여금 평생을 후회 속에서 지내게 하였다. 고향에 대한 그리움과 망국의 고통이 그의 후기 대다수 작품에서 나타났고 그 중에서 어떤 시는 은거하려는 소원을 표현하였다.

幽居值春

山人久陸沈, 幽徑忽春臨.

산 사람이 오래 은거하는, 오솔길에 어느새 봄이 와.

決渠移水碓, 開園掃竹林.

도랑을 터 물방아를 돌리고, 뜰을 가꾸느라 대숲을 쓰네.

欹橋久半斷, 崩岸始邪侵.

기운 다리는 오랫동안 반쯤 끊겼는데, 무너진 언덕의 복구를 시작하네.

短歌吹細笛, 低聲泛古琴.

짧은 노래에 가는 피리를 불고, 낮은 소리는 옛 거문고에 띄우네.

錢刀不相及, 耕種且須深.

돈과는 서로 거리가 멀고, 갈고 심기만은 모름지기 깊게 하네.

長門一紙賦, 何處覓黃金?

언제나 문이 잠겨 있는 집 한 수 시이니, 어디에서 황금을 바랄 것인가?

寒園卽日

子月泉心動, 陽爻地氣舒.

동짓달에 샘 가운데가 움직이고, 뜨스한 기가 땅 기운을 편다.

雪花深數尺, 氷牀厚尺餘.

설화는 깊어 수척이나 되고, 얼음 판 두께는 한 자 남짓이 된다.

蒼鷹斜望雉, 白鷺下觀魚.

참매는 꿩을 곁눈질하고, 백로는 내려와 물고기를 본다.

江淹(444~505)의　陶徵君潛田居

日暮巾柴車, 路暗光已夕.
날이 저물어 땔나무 수레를 덮으니, 길에 빛은 어두워져 벌써 저녁.
歸人望煙火, 稚子候檐隙.
집으로 돌아가는 사람은 굴뚝 연기를 바라보고, 어린 아이는 처마 틈에서
기다리네.

王績[26)]의 晚年敍志示翟處士正師

弱齡慕奇調, 無事不兼修.

약년에 뛰어난 운치를 흠모하여, 겸하여 닦지 않은 일이 없었지요.

望氣登重閣, 占星上小樓.

雲氣를 살피러 층루에 오르고, 天文을 보아 점치려고 작은 누각에 올라갔었
지요.

明經思待詔, 學劍覓封侯.

경서를 밝혀 待詔가 될 생각을 했고, 검을 배워 제후로 봉해지는 길을 찾았
지요.

自有居常樂, 誰知我世憂.

스스로 일상의 즐거움이 있지만, 누가 나의 세상 근심을 알까.

---

26) (590~644). 자는 無功, 호는 東皐子로 絳州 龍門(지금의 山西省 河津縣)
사람이다.
隋 煬帝 때 효제 청렴으로 과거에 합격하여 秘書正字가 되었고 얼마 안
되어 揚州六合縣丞이 되었다. 그는 술을 즐기고 직무에 마음을 쓰지 않다
탄핵을 받아 관직을 버리고 야반도주하여 吳越을 떠돌다 大業 말 고향에
돌아왔다.
당 高祖 武德 5년(622) 부름에 응하여 벼슬을 하게 되어 이전 揚州六合縣
丞 待詔門下省이 되어 매일 좋은 술 한 말을 마시어 당시의 사람들이 斗酒
學士라고 불렸다. 생활이 곤란하여 다시 벼슬하러 나가 太樂에 府史가 술
을 잘 빚는다고 하여 太樂丞이 되었으나 2년도 못되어 그만두고 고향으로
돌아왔다. 만년에 고향 물가에 집을 짓고 거문고와 술로 세월을 보내었다.

薛記室收過庄見尋率題古意以贈

嘗愛陶淵明, 酌醴焚枯魚.
일찍 도연명을 사랑하여, 단술을 따르고 마른 물고기를 구웠죠.
嘗學公孫弘, 策杖牧群豬.
일찍이 공손홍을 배워, 지팡이 짚고 돼지 떼를 길렀지요.
資稅幸不及, 伏臘常有儲.
조세가 다행히 미치지 않아, 三伏과 臘日에도 항상 저축이 있지요.
散誕時須酒, 蕭條懶向書.
한산하고 허망할 땐 술을 마시고, 적적히 게으르게 책을 보지요.

端坐思

世途何足數, 人事本來虛.
세로를 어찌 헤아릴 수 있으랴, 사람 일이란 본래 허망한 것.
三王無定策, 五帝有殘書.
3왕은 세운 방책이 없고, 5제는 헌 책만 남겼다.
咄嗟建城市, 倏忽觀丘墟.
순식간에 성시를 세웠다가, 순간에 빈터를 바라본다.

石竹詠

嘆息聊自思, 此生豈我情!

탄식하며 애오라지 스스로 생각해 보니, 이 삶이 어찌 내 뜻일까!

昔我未生時, 誰者令我萌?

전에 내가 아직 나지 않았을 때, 누가 나를 싹트게 하였을까?

獨坐

有客談名理, 無人索地租.

淸淡家의 이름과 이치를 담론하는 손님은 있어도, 지세를 토색하는 사람은 없다.

三男婚令族, 五女嫁賢夫.

세 아들은 명문 세족과 결혼하고, 다섯 딸은 어진 남편에게 시집갔다.

被徵謝病

漢朝徵隱士, 唐年訪逸人.

한나라 조정은 은사를 불렀고, 당에 와서도 일민을 찾는데.

還言北山曲, 更坐東河濱

북산곡을 말하다가, 다시 하동 물가에 앉았네.

枌楡三晋地, 煙火四家隣.

느릅나무는 삼진의 땅인데, 인가 네 집이 이웃하여.

白豕祠鄉社, 青羊祭宅神.

흰 돼지로 마을 사직에 제사 지내고, 검은 양으로 가택 신에게 제사 지내네.

拓畦侵院角, 疊水上渠脣.

뜰 모퉁이를 깎아 두둑을 치고, 도랑을 쳐 물을 대니.

臥病劉公干, 躬耕鄭子眞.

병으로 누운 유공간이요, 몸소 밭가는 정자진이네.

橫裁桑節杖, 堅剪竹皮巾.

뽕나무 마디를 가로 끊어 지팡이 하고, 대나무 껍질을 세로로 잘라 수건으로 쓰네.

鶴驚琴亭夜, 鶯啼酒瓮春.

학은 밤에 정자의 거문고 소리에 놀라 울고, 봄날 술동이에 들리는 꾀꼬리 울음.

顔回惟樂道, 原憲豈傷貧?

안회는 오직 도를 즐겼고, 원헌이 어찌 가난을 상심할까?

藉草邀新友, 班荊接故人.

풀을 깔아 새 벗을 맞이하고, 광대싸리를 깔아 옛 친구를 대접하네.

市門逢賣藥, 山圃值肩薪.

저자 문에서 약 파는 이를 만나고, 두메 밭에서 땔나무꾼과 마주쳐도.

相將共無事, 何處犯囂塵.

서로 함께 할 일이 없으니, 무슨 다툴 일이 있으랴.

春日還庄

傍山移草石, 橫渠種稻粱
곁 산에 풀과 돌을 옮기고, 가로 놓인 도랑에 벼와 메조를 심는다.

滋蘭依舊畹, 接果着新行.
우거진 난초는 예와 다름없는 밭이고, 과수에 접붙여 새 줄을 붙인다.

自持茅作屋, 無用杏爲梁.
스스로 띠를 가져다 집을 지으니, 은행나무로 만든 들보는 쓸 데가 없다.

蓬埋張仲徑, 藜破管寧床.
쑥은 장씨 둘째네 집 길을 메우고, 명아주는 55년 동안 한 자리에 앉아 독서했던 관영 평상을 뚫는다.

浴蠶溫織室, 分蜂暖蜜房.
누에씨를 물에 담가 씻어 골라 잠실을 덥히고, 벌을 나누어 벌통을 따뜻하게 한다.

竹密連階暗, 花飛滿宅香.
빽빽한 대숲에 붙어 섬돌은 어둡고, 꽃잎이 날아 집에 향기가 가득.

坐棠思邵伯, 看柳憶嵇康.
팥배나무 아래 앉아 백성을 사랑했던 소백을 그리고, 버드나무를 보니 죽림칠현 혜강이 생각난다.

春日山莊言志

入屋欹生樹, 當階逆涌泉.
산 나무에 기대어 지은 집에 들어가니, 바로 계단에 거꾸로 솟는 샘.
剪茅通澗底, 移柳向河邊.
띠를 베어 골짜기 아래로 통하고, 옮긴 버드나무 물가를 향한다.
崩沙猶有處, 臥石不知年.
허물어진 모래는 아직 자리가 있고, 누운 바위는 나이를 모른다.
入谷開斜道, 橫溪渡小船.
골짜기를 들어서니 비탈길이 열리고, 가로지른 시내에 작은 배가 건넌다.

過鄭處士山莊 2

橫文彫子褥, 碎點鹿胎巾.
가로 무늬는 표범 가죽 요더니, 부서져 태 속 사슴 가죽으로 만든 두건에 방울진다.
斷籬棲夜雉, 荒砌起朝麕.
끊어진 울타리에 밤 꿩이 깃들이고, 거칠어진 섬돌에선 아침 노루가 일어난다.

93

山家夏日 1

樹倚全擁石, 蒲長半浸砂.

나무가 기울어 온통 바위를 안고, 부들은 자라 반쯤 모래에 잠겼다.

池光連壁動, 日影對窓斜.

못 빛은 절벽에 닿아 움직이고, 해 그림자는 창에 마주하여 기운다.

8

樹陰連戶靜, 泉影度窓寒

나무 그늘은 문에 이어져 고요하고, 샘 그림자는 창을 지나 차다.

野竹欄階種, 巖花入戶飛

들대를 난간 섬돌에 심었고, 바위 꽃은 창으로 들어와 난다.

澗幽人路斷, 山曠鳥啼稀.

골짜기 깊어 사람 길은 끊기고, 산이 비어 새 울음도 드물다.

題黃煩山壁

別有靑溪道, 斜亘碧巖隈

별다른 푸른 시내 길이, 푸른 이끼 낀 바위 모퉁이를 비껴 뻗어 있네.

崩榛橫古蔓, 荒石擁寒苔.

넘어진 가시나무는 오래 된 덩굴에 걸쳐 있고, 거친 돌에는 찬 이끼가 끼었네.

野心長寂寞, 山徑本幽廻

들 가운데는 오래 적막하고, 산길은 본디 깊게 도는 것.

步步攀藤上, 朝朝負藥來

한 걸음 한 걸음 등 넝쿨을 잡고 올라, 아침마다 약을 지고 오네.

幾看松葉秀, 頻值菊花開.

새 솔잎 나는 것을 여러 번 보았고, 국화 핀 것을 자주 만나지만,

無人堪作伴, 歲晚獨悠哉!

동무 되어줄 사람 없어, 날 저물어 혼자 걱정되는구나!

野望

薄暮東皐望, 徙倚將何依?

지는 해를 동쪽 언덕에서 바라보며, 어디로 돌아가려 배회하는가?

樹樹皆秋色, 山山唯落暉.

나무마다 가을빛 짙어가고, 산마다 낙조가 물들었네.

牧人驅犢返, 獵馬帶禽歸.

목동은 송아지를 몰고 돌아오고, 사냥 말은 새를 달고 돌아오네.

相顧無相識, 長歌懷采薇

사방을 둘러보아도 아는 이 없으니, 큰소리로 노래하며 고사리나 캘거나.

秋夜喜遇姚處士義

北場耘藿罷, 東皋刈黍歸.
뒷 마당 콩밭을 매고 나서, 동쪽 언덕 보리를 베어 돌아오네.
相逢秋月滿, 更值夜螢飛.
가을 보름달 아래 만났는데, 다시 반딧불 나는 밤에 마주치네.

在京思故園見鄉人遂以爲問

旅泊多年歲, 老去不知回.
나그네살이 여러 해에, 늙어 가면서도 돌아갈 줄 모르네.
忽逢門前客, 道發故鄉來.
문 앞에서 생각 밖에 손님을 만났는데, 고향에서 왔다고 하여.
斂眉俱握手, 破涕共銜杯.
반갑게 서로 손을 잡고, 눈물을 거두고 함께 술잔을 드네.
殷勤訪朋舊, 屈曲問童孩.
정성스럽게 옛 친구들의 소식을 묻고, 굽이굽이 집 아이들의 정황을 물어 보네.
衰宗多弟姪, 若箇賞池臺?
쇠해진 집안에 아우와 조카들은 많은데, 못과 집을 조금이라도 주었던가요?
舊園今在否? 新樹也應栽?
옛 뜰은 지금도 있던가요? 새 나무도 심었겠지요?

柳行疏密布? 茅齋寬窄裁?

버드나무 줄은 얼마나 배게 심었던가요? 초가집은 얼마나 넓게 지었던가요?

經移何處竹? 別種幾株梅?

어디 대나무를 옮겨다 심었나요? 따로 매화는 몇 주나 심었던가요?

渠當無絶水? 石計總生苔?

도랑물은 마르지 않겠지요? 돌에는 모두 이끼가 끼었겠지요?

院果誰先熟? 林花那後開?

뜰의 무슨 과일이 먼저 익었던가요? 숲에 어느 꽃이 뒤에 피었던가요?

羈心只欲問, 爲報不須猜.

나그네 마음이란 묻고만 싶은 것이니, 이상하게 생각 말고 말해 주세요.

行當驅下澤, 去剪故田萊.

마땅히 하택거를 몰아 고향으로 돌아가 묵은 밭의 쑥을 매야지.

門有車馬客行

門有車馬客, 問君何鄕士.

문 앞에 마차 타고 온 손님, 그대에게 묻노니 어느 고을 선비시오.

捷步往相訊, 果是舊鄰里.

빠른 걸음으로 가서 서로 물어 보니, 과연 옛 이웃 사람이네.

語昔有故悲, 論今無新喜.

그전 이야기에 옛 슬픔만 있고, 지금 이야기에는 새로운 기쁨이 없네.

淸晨相訪慰, 日暮不能已.

맑은 새벽 서로 찾아 위로하여, 저물도록 그치지 못하네.

詞端競未究, 忽唱分途始.

말꼬리를 다투어 끝을 못 맺고, 문득 읊고 나니 길이 나뉘기 시작하네.

前悲尙未弭, 後憂方復起

앞 슬픔을 아직 잊지 못했는데, 뒤 근심이 이제 다시 생겨나네.

褚亮(560~647)의 和御史書大夫喜霽之作

野淨餘煙盡, 山明遠色同.

들이 맑아 남은 연기는 다했고, 산이 밝아 먼 곳 빛도 한가지네.

沙平寒水落, 葉脆晚枝空.

평평한 모래밭에 찬 물이 떨어지고, 잎이 연하여 저녁 가지가 비었네.

楊師道(隋 종실인)의 初秋夜坐應詔

雁聲風處斷, 樹影月中寒

기러기 소리는 바람 부는 곳에서 끊기고, 나무 그림자는 달빛 속에 차다.

爽氣長空淨, 高吟覺思寬

시원한 기운 하늘 멀리 깨끗하고, 고상한 시가는 생각을 넓게 깨우친다.

虞世南(558~638)의 侍宴應詔賦韻得前字

橫空一鳥度, 照水百花燃.

새 한 마리 하늘을 가로질러 건너가고, 물에 비친 온갖 꽃 불타듯이 붉다.

綠野明斜日, 靑山澹晩煙.

푸른 들은 석양에 밝고, 청산은 저녁 연무 속에 고요하다.

楊素(?~606)의 贈薛內史詩

朝朝唯落花, 夜夜空明月.

아침마다 꽃은 지고, 밤마다 한갓되이 달이 밝다.

明月徒流光, 落花空自芳.

명월은 부질없이 빛을 흘리고, 낙화는 헛되이 절로 향기롭다.

別離望南浦, 相思在漢陽.

이별에 남포를 바라보며, 한양에서 서로 그리워한다.

漢陽隔隴岑, 南浦達桂林.

한양은 언덕과 산봉우리에 가로막혔고, 남포는 계림으로 통한다.

李百藥(565~648)의 晩渡江津

寂寂江山晩, 蒼蒼原野暮.

적적한 강산의 저녁, 푸른 들에 날이 저문다.

秋氣懷易悲, 長波淼難泝.

가을 기운은 마음을 쉽게 슬프게 하고, 긴 물결은 아득하여 거슬러 올라가기 어렵다.

索索風葉下, 離離早鴻度.

사르르 바람에 나뭇잎은 떨어지고, 쭉 늘어져 이른 기러기가 건너간다.

丘壑列夕陰, 葭菼凝寒霧.

언덕과 골짜기에는 땅거미가 깔리고, 갈대와 물 억새엔 찬 안개가 엉긴다.

登葉縣故城謁沈諸梁廟

煙霞共掩映, 林野俱蕭瑟

연하는 함께 빛을 가리고, 숲과 들은 다 소슬하다.

楚塞鬱不窮, 吳山高漸出.

초의 변방은 끝없이 울창하고, 오의 산은 높아 점차 나타난다.

上官儀(608~664)의 奉和山野臨秋

雲飛送斷雁, 日上淨疏林.

구름은 외기러기를 보내느라 날고, 해는 성긴 숲에 맑게 떠오른다.

滴瀝露枝響, 空濛煙壑深.

똑똑 가지에 이슬 떨어지는 소리, 자욱한 연무는 골짜기에 깊다.

盧照鄰(635~689)의 贈益府裵錄事

朝看桂蟾晩, 夜聞鴻雁度.

아침에 늦은 달을 보고, 밤에는 건너가는 기러기 떼 소리를 듣는다.

鴻度何時還, 桂晩不同攀.

기러기는 건너가서 언제 돌아올까, 달이 늦어 같이 오르지 못한다.

浮雲映丹壑, 明月滿靑山.

뜬구름은 붉은 골짜기에 비치고, 명월은 청산에 가득하다.

靑山雲路深, 丹壑月華臨.

청산의 구름 가는 길은 깊고, 붉은 골짜기에는 달빛이 비친다.

春晩山莊率題二首 2

鶯啼非選樹, 魚戲不驚綸.

꾀꼬리는 울면서 나무를 고르지 않고, 물고기는 놀면서 낚싯줄을 건들지 않는다.

山水彈琴盡, 風花酌酒頻.

산수에 탄금을 다하고, 아름다운 경치에 잔질이 잦다.

105

初夏日幽莊

聞有高踪客, 耿介坐幽莊.
들으니 은퇴한 나그네, 꿋꿋이 깊은 별장에 앉았다 한다.
林壑人事少, 風煙鳥路長
산림과 계곡에는 사람의 일이 적고, 바람과 연무의 鳥道는 길다.
瀑水含秋氣, 垂藤引夜涼
폭포수는 가을 기운을 머금었고, 드리운 등 넝쿨 밤의 서늘함을 끈다.
苗深全覆隴, 荷上半侵塘.
싹은 깊어 온통 밭두둑을 덮고, 연잎은 올라와 못을 반이나 차지했다.
釣渚青鳧沒, 村田白鷺翔
낚시터에 푸른 물오리가 자맥질하고, 마을 밭에는 백로가 난다.

山林休沐田家

徑草疏王篲, 巖枝落帝桑.
길 풀은 큰 비에 성글고, 바위 가닥은 황녀의 뽕나무에 떨어진다.
耕田虞訟寢, 鑿井漢機忘.
경전에 虞나라와 芮나라의 송사가 그치고, 착정에 한의 권세를 잊는다.

羈臥山中

紫書常日閱, 丹藥幾年成.

道經을 날마다 읽지만 선단은 어느 해 이뤄질까.

扣鐘鳴天鼓, 燒香厭地精.

종을 두드려 天鼓를 울리고 향을 피워 百穀을 멀리한다.

王勃(650~676)의 山中

長江悲已滯, 萬里念將歸.

장강은 슬픔으로 막혔으니, 만 리 길 돌아갈 생각뿐.

況屬高風晚, 山山黃葉飛.

더구나 가을바람에 저녁을 당하여, 산마다 낙엽 날리네.

滕王閣

滕王高閣臨江渚, 佩玉鳴鸞罷歌舞.

등왕의 높은 누각 강가에 임해 있는데, 패옥과 명란 울리던 가무도 다 끝났구나.

畫棟朝飛南浦雲, 珠簾暮捲西山雨.

아름다운 누각 용마루 위에 아침에는 남포의 구름 날고, 붉은 발 저녁 때 걷어 올리면 서산에 비 내리네.

閑雲潭影日悠悠, 物換星移幾度秋.

한가로운 구름 연못에 잠기고 해는 유유히 지나가는데, 만물이 바뀌고 별자리 옮겨 가니 몇 해가 지났는가.

閣中帝子今何在? 檻外長江空自流.

누각 안에 있던 제자는 지금 어디에 있는가? 난간 밖의 긴 강물은 무심히 절로 흘러가네.

焦岸早行和陸四

複嶂迷晴色, 虛巖辨暗流
겹친 산봉우리에 갠 빛 희미하고, 빈 바위로 암류를 구별한다.
猿吟山漏曉, 螢散野風秋.
원숭이 울음은 산중의 새벽 시간을 알리고, 반딧불 흩어져 들에는 가을바람
분다.

楊炯(650~693)의 早行

地氣俄成霧, 天雲漸作霞.
지기는 잠깐 사이에 안개가 되고, 하늘의 구름은 점점 놀이 된다.
河流才辨馬, 巖路不容車.
강이 흘러 겨우 말을 분별하는데, 바위 길은 수레를 용납하지 않는다.

深灣夜宿

堰絶灘聲隱, 風交樹影深.
둑이 끊겨 여울 소리 은은하고, 바람이 오고가 나무 그림자 깊다.
江童暮理楫, 山女夜調砧.
강 마을 아이는 석양에 노를 젓고, 산골 여인은 밤에 다듬이질한다.

駱賓王(626~684)의 晩泊江鎭

荷香銷晚夏, 菊氣入新秋.
연꽃 향기는 늦여름을 녹이고, 국화 기운은 초가을로 든다.
夜鳥喧粉堞, 宿雁下蘆洲.
밤새는 흰 성가퀴에 시끄럽고, 서식하는 기러기는 갈대 사주로 내려간다.
海霧籠邊徼, 江風繞戍樓.
바다 안개 새장가에 감돌고, 강바람은 수루를 둘러싼다.

晩憩田家

轉蓬勞遠役, 披薜下田家.
바람에 나부끼는 쑥과 같은 신세 먼 길이 고생스럽기만 한데, 덩굴 헤치며
농가로 내려간다.
山形類九折, 水勢急三巴.
산형은 구절양장 같고, 수세는 삼파처럼 급하구나.
懸梁接斷岸, 澁路擁崩查.
구름다리는 단안에 이어졌고, 험한 길은 넘어진 떼를 끼고 돈다.
霧巖淪曉魄, 風湍張寒沙.
안개 낀 바위로 새벽달은 잠기고, 개펄에 바람 불어 찬 모래밭에 물이 분다.
心迹一朝舛, 關山萬里賒.
심사는 하루아침에 어그러지는데, 고향 산은 만 리나 된다.

111

龍章徒表越, 閩俗本殊華.

천자의 옷에 괜히 월을 표시하지만, 민의 풍속은 본래 중화와 다르다.

旅行悲泛梗, 離贈折疏麻.

나그넷길에 표박을 슬퍼하며, 이별에 꺾은 神麻를 준다.

唯有寒潭菊, 獨似故園花

오직 찬 못 가 국화만이, 고향의 꽃과 같구나.

夏日游山家同夏少府

蘭徑薰幽珮, 槐庭落暗金.

난초 길에서는 향내를 그윽이 차고, 회화나무 뜰에는 어두운 금빛 꽃잎이 떨어진다.

谷靜風聲徹, 山空月色深

골짜기가 고요하여 바람 소리를 거두고, 산이 비어 달빛이 깊다.

陳子昻[27]의 感遇 7

仲尼推太極, 老聃貴窈冥.

중니는 태극을 궁구하였고, 노담은 심원한 이치를 귀히 여겼다.

西方金仙子, 崇義乃無明.

서방 석가여래에게 의를 높이는 것은 바로 무명이다.

空色皆寂滅, 緣業定何成.

공허와 사물 다 적멸하니, 업연이 꼭 무엇을 이룰까.

名教信紛籍, 死生俱未停.

명분의 가르침은 참으로 번잡하고, 사생은 함께 멈추지 않는다.

---

27) (656~699). 자는 伯玉, 梓州 射洪(지금의 사천 사홍) 사람이다. 부호 가문
에서 태어나 24세 때 진사에 급제하여 무측천의 총애를 받아 麟臺正字, 右
拾遺를 맡고 두 차례나 변방에 출정하였다. 정치 현실이 이상과 맞지 않아
사직하고 고향에 돌아가 42세에 현령 段簡에게 해를 당해 죽었다.
진자앙은 修竹篇序에서 "문장의 도가 피폐해진 지 오백년! 한위의 풍골과
진송이 전해 오지 않지만 문헌은 증거 될 만하다. 내가 예전에 한가할 때
제양의 시를 살펴보니, 문채가 곱고 왕성하며 사상 감정의 기탁이 모두 절
묘하여 매양 길게 탄식하였다. 가만히 생각해 보니 고인은 항상 구불구불
쇠미해져 풍아가 일어나지 않는 것을 두려워하며 마음 졸였다. 전에 해삼
의 거처에서 明公의 詠孤桐篇을 보았는데, 골기가 강직 고귀하고 음과 정
이 갑자기 꺾이며 광휘가 밝고 간결하여 금석의 소리가 났다. 마침내 마음
을 고치고 시각을 씻어 응성함을 발휘하였다. 정시의 음조를 꾀하지 않는
것을 이에 다시 본다. 건안 작가였다면 서로 보며 웃었을 것이다(文章道弊
五百年矣! 漢魏風骨, 晋宋莫傳, 然而文獻有可徵者. 僕嘗暇時觀齊梁間詩, 彩
麗競繁, 而興寄都絶, 每以永嘆. 竊思古人, 常恐逶迤頹靡, 風雅不作, 以耿耿
也. 昨于解三處, 見明公詠孤桐篇, 骨氣端翔, 音情頓挫, 光英朗練, 有金石聲.
遂用洗心飾視, 發揮幽郁. 不圖正始之音, 復睹于茲. 可使建安作者, 相視而
笑)"라고 하였다.

15

幽居觀天運, 悠悠念群生.
유거에서 천운을 보며, 유유히 군생을 생각한다.
終古代興沒, 豪聖莫能爭.
예부터 흥망이 바뀌어도, 성인은 다투지 않았다.

38

仲尼探元化, 幽鴻順陽和.
중니는 우주의 조화를 탐색하여 숨은 강성함이 양을 따라 화해진다 하였다.
大運自盈縮, 春秋遞來過.
대운은 절로 차고 줄며, 춘추는 번갈아 오간다.

贈趙六貞固 2

良辰在何許, 白日屢頹遷.
좋은 시절은 언제쯤일까, 백일은 자주 쇠하여 옮긴다.
道心固微密, 神用無留連.
도심은 참으로 정미 주밀하고, 신명의 작용은 유련하지 않는다.

舒可彌宇宙, 攬之不盈拳.
펴면 우주에 퍼지고, 쥐면 주먹에도 차지 않는다.

酬暉上人夏日林泉

巖泉萬丈流, 樹石千年古.
바위 틈 샘은 만장을 흐르고, 나무와 돌은 천년을 묵었다.
林臥對軒窓, 山陰滿庭戶.
숲에 누워 창호를 마주보니, 산그늘이 뜰 안에 가득하다.

度荊門望楚

遙遙去巫峽, 望望下章臺.
멀리멀리 무협으로 가고, 돌아보지도 않고 장대로 내려간다.
巴國山川盡, 荊門煙霧開.
파국 산천이 다하니, 형문에 안개가 걷히네.
城分蒼野外, 樹斷白雲隈.
성은 푸른 들 밖에서 나누어지고, 나무는 흰 구름 언덕에서 끊어졌네.
今日狂歌客, 誰知入楚來!
오늘 미친 가객이, 초나라로 들어올 것을 누가 알았을까!

晚次樂鄕縣

故鄕杳無際, 日暮且孤征
고향은 아득히 끝이 없으니, 저문 날에 또 외로이 가네.
川原迷舊國, 道路入邊城.
냇 언덕에는 고국이 희미하고, 도로는 변성으로 들어간다.
野戍荒煙斷, 深山古木平.
들 수자리에는 거친 연기가 끊어지고, 깊은 산에는 고목이 평평하네.
如何此時恨, 嗷嗷夜猿鳴.
이때의 한 어떠한가, 교교한 밤 원숭이 울음.

白帝城懷古

巖懸靑壁斷, 地險碧流通.
바위가 매달려 푸른 절벽이 끊겼고, 지세 험한데 벽류가 통한다.
古木生雲際, 孤帆出霧中.
고목은 구름 사이에서 나오고, 외로운 돛배는 안개 속에서 나온다.

入峭峽安居溪伐木溪源幽邃林嶺相映有奇致焉

肅徒歌伐木, 驚楫漾輕舟.

숙연히 반주 없이 벌목을 노래하며, 노를 저어 가벼운 배를 띄워.

靡迤隨回水, 潺湲溯淺流.

굽은 물을 따라 가고, 잔잔하게 얕은 흐름을 거슬러 올라가네.

煙沙分兩岸, 露島夾雙洲.

자욱한 모래밭이 양쪽 언덕을 나누어, 드러난 섬은 두 사주에 끼었고.

古樹連雲密, 交峰入浪浮.

옛 나무에는 구름이 빽빽이 이어져, 교차된 봉우리에는 뜬 물결이 들어오네.

巖潭相映媚, 溪谷屢環周.

바위와 못이 서로 비춰 아름다운데, 계곡은 돌고 돌아.

路逈光逾逼, 山深興轉幽.

길이 머니 풍광은 더욱 가깝고, 산이 깊으니 흥은 도리어 깊네.

麕鼫寒思晚, 猿鳥暮聲秋.

고라니와 다람쥐는 추위에 저녁을 생각하고, 원숭이와 새 울음은 저문 가을 소리.

誓息蘭臺策, 將從桂樹游.

맹세코 난대의 지팡이를 쉬어, 곧 계수의 놀음을 쫓아가리.

因書謝親愛, 千歲覓蓬丘.

편지로 친애함을 사례하고, 천년에 봉구를 찾네.

萬州曉發放舟乘漲還寄蜀中親朋

空濛巖巖霽, 爛漫曉雲歸.

공중에는 비가와도 바위마다 개어, 난만히 새벽 구름 돌아오고,

嘯旅乘明發, 奔橈驚斷磯.

휘파람 부는 나그네는 밝음을 타서 출발하여, 끊어진 낚시터로 돛대를 달리네.

蒼茫林岫轉, 絡繹張濤飛.

돌아가는 아득한 산봉우리에, 불어 넘실대는 물결 이어졌네.

遠岸孤煙出, 遙峰曙日微.

먼 언덕에 외로운 연기 오르고, 먼 봉우리에 새벽 해 희미하네.

前瞻未能晌, 坐望已相依.

앞을 봐도 보이지 않으니, 앉아 바라보며 서로를 의지할 뿐.

曲直多今古, 經過失是非.

곡직은 고금에 많아도, 지나가면 시비가 없어지네.

還期方浩浩, 征思日騑騑.

돌아올 기약 아득하건만, 갈 생각은 날마다 바쁘네.

寄謝千金子, 江海事多違.

천금 같은 자식에게 말해주노니, 강해에는 일이 어김이 많단다.

入東陽峽與李明府舟前後不相及

東嚴初解纜, 南浦遂離群.

동쪽 바위에 처음 끈을 풀어놓고, 남포에서 여러 사람들과 이별하네.

出沒同洲島, 沿洄異渚濆.

물가 섬과 같이 출몰해도, 물길 따라 오르내리기 사주 물기와 다르네.

風煙猶可望, 歌笑浩難聞.

바람과 안개는 볼 수라도 있지만, 노래 웃음소리는 넓어 듣기 어렵네.

路轉靑山合, 峰回白日曛.

길은 돌아 청산에 합해지고, 봉우리는 백일이 돌아 덥네.

奔濤上漫漫, 積水下沄沄.

거친 물결은 위에 만만하고, 고인 물은 밑에서 세차게 흐르네.

倏忽猶疑及, 差池復兩分.

문득 의심이 미치자마자, 뜻밖에 다시 둘로 나뉘네.

離離間遠樹, 藹藹沒遙氛.

먼 나무 사이 드문드문하고, 의미하게 먼 기운이 걷히네.

地上巴陵道, 星連牛斗文

땅 위 파릉 길에, 별이 견우 북두를 연하여 빛나네.

孤猿啼寒月, 哀鴻叫斷雲.

외로운 원숭이는 찬 달에 울고, 슬픈 기러기는 끊어진 구름에서 울부짖는데.

仙舟不可見, 搖思坐氛氳.

신선 배는 볼 수 없고, 성한 기운에 앉아 흔들리며 생각하네.

閻朝隱(唐)의 奉和聖制夏日游石淙山

千種岡巒千種樹, 一重巖壑一重雲.
천 가지 丘山 천 가지 나무, 한 겹 골짜기 한 겹 구름.
花落風吹紅的歷, 藤垂日晃綠葒蓝.
떨어지는 꽃은 바람에 날려 적력하게 붉고, 등나무 줄기는 햇빛을 드리워
짙푸르다.

崔湜(671~713)의 奉和韋嗣立山莊侍宴應制

閑窓憑柳暗, 小徑入松深.

한가로운 창은 버들에 기대어 어둡고 오솔길은 솔밭 들어 깊다.

雲卷千峰色, 泉和萬籟吟.

구름은 천 봉 빛을 거두고 샘은 온갖 소리에 화답하여 읊조린다.

蘇味道[28]의 始背洛城秋郊矚目奉懷臺中諸侍御

山晴關塞斷, 川暮廣城陰.

산 개어 관문과 요새는 끊기고, 물에 날 저물어 넓은 성이 어두워진다.

場圃通圭甸, 溝塍碍石林.

채마밭은 圭田으로 통하고, 도랑과 밭두둑은 자갈밭에 막힌다.

野童來捃拾, 田叟去謳吟.

시골 아이는 주워 모으며 오고, 촌옹은 노래 부르며 간다.

蟋蟀秋風起, 蒹葭晚露深.

귀뚜라미 소리에 가을바람 일고, 갈밭에 저녁 이슬 깊다.

---

28) (648~705). 694년에 재상이 되었다가 695년에 그만두었다. 얼마 안 되어
天官侍郎에 임명되었고 698년, 鳳閣侍郎으로 옮겨 재상 자리에 몇 해 있
었다. 중종 즉위 초 益州에 폄천되어 돌아가지 못하고 죽었다.

崔融²⁹⁾의 吳中好風景

洛渚問吳潮, 吳門想洛橋.

낙수 가에서 오의 조수를 묻고, 오문에서 낙교를 그린다.

夕煙楊柳岸, 春水木蘭橈.

저녁연기 오르는 양류 언덕, 봄물에 목란 노.

城邑高樓近, 星辰北斗遙.

고을은 고루에 가깝고, 별은 북두성에 멀구나.

無因生羽翼, 輕擧托還飆.

날개가 돋아날 리 없어, 가벼이 올라 旋風에 맡긴다.

---

29) (653~706). 699년, 鳳閣舍人이 되었다. 700년, 장창종의 뜻에 거슬리어 한 동안 폄적되었다가 얼마 안 되어 소환되어 春官郞中, 知制誥를 맡았다. 702년, 다시 鳳閣舍人으로 옮겼다.

李嶠30)의 秋山望月酬李騎曹

況復高秋夕, 明月正裵回.

더구나 중추 저녁 명월이 배회할 때.

亭亭出逈岫, 皎皎映層臺.

우뚝 먼 산봉우리가 나오고, 교교히 층대를 비춘다.

色帶銀河滿, 光含玉露開.

빛깔은 은하가 둘러 가득하고, 빛은 옥로를 머금고 퍼진다.

淡雲籠影度, 虛暈抱輪回.

담운은 그림자를 싸고 건너가고, 달무리는 바퀴를 안고 돈다.

谷邃凉陰靜, 山空夜響哀.

골이 깊어 서늘한 그늘 고요하고, 산이 비어 밤의 소리 애달프다.

奉和聖制夏日游石淙山

鳥和百籟疑調管, 花發千巖似畫屛.

새는 온갖 소리에 화답하여 피리를 고르는 것 같고, 꽃 핀 일천 바위는 화병 같구나.

金竈浮煙朝漠漠, 石床寒水夜泠泠.

도사의 煉丹하는 금조에 연기 떠 아침이 막막하고, 돌 마루 찬 물은 밤에

---

30) (642~712). 698년, 同鳳閣鸞臺平章事가 되었다. 700년, 잠시 재상 자리를 떠났다가 703년, 소환되어 평장사에 복직되었다.

영령하다.

早發苦竹館

合沓巖障深, 朦朧煙霧曉.

첩첩 깊은 험한 산, 연무로 몽롱한 새벽.

荒阡下樵客, 野猿驚山鳥.

나무꾼은 거친 길을 내려오고, 들 원숭이는 산새를 놀랜다.

開門聽潺湲, 入徑尋窈窕.

문을 열고 졸졸 흐르는 물소리를 듣고, 소로에 들어 그윽함을 찾는다.

棲鼯抱寒木, 流螢飛暗篠.

서식하는 날다람쥐 찬 나무를 안고, 흐르는 반딧불은 어두운 조릿대에 난다.

早霞稍霏霏, 殘月猶皎皎.

아침노을이 점점 흩어져, 새벽달이 아직 교교하다.

行看遠星稀, 漸覺游氛少.

가면서 먼별이 드물어짐을 보고, 점점 넘실대는 운무가 적어짐을 느낀다.

我行撫軺傳, 兼得傍林沼.

나의 여행은 마차에 기대고, 아울러 곁에 숲과 못이 있다.

貪玩水石奇, 不知川路渺.

수석의 기이함에 빠져, 내 길이 아득함도 모른다.

徒憐野心曠, 詎測浮年小.

속절없이 빈 들판을 가련해 하지만, 어찌 지나간 세월 적다고 하랴.

方解寵辱情, 永託杲塵表.

이제 총욕의 정을 알았으니, 길이 세속 밖에 허물을 돌리리.

和杜學士江南初霽羈懷

霧卷晴山出, 風恬晩浪收

안개 걷히자 갠 산이 나오고, 바람은 고요히 저녁 물결을 거둔다.

岸花明水樹, 川鳥亂沙洲.

언덕의 꽃은 물 나무에 밝고, 물새는 모래톱에 어지러이 난다.

田假限疾不獲還莊, 載想田園兼思親友率成短韻用寫長懷, 贈杜幽素

及此承休告, 聊將狎遯肥

이에 이르러 휴가를 받아, 애오라지 은퇴를 익히려 한다.

十旬俄委疾, 三徑且殊歸.

백 일 동안 앓다 보니, 뜰 세 길도 달리 돌아간다.

疲痾旅城寺, 延想屬郊畿.

성과 절을 여행하다 지쳐, 늦게야 고을 경계에 가까워졌음을 생각한다.

杜審言[31]의 和晋陵陸丞早春游望

獨有宦游人, 偏驚物候新.

홀로 떠도는 벼슬아치는, 물후의 새로움 유달리 놀란다네.

雲霞出海曙, 梅柳渡江春.

새벽 바다에는 채운이 나오고, 매화와 버들은 봄 강을 건너오네.

淑氣催黃鳥, 晴光轉綠蘋.

온화한 날씨는 꾀꼬리를 재촉하고, 맑은 햇빛에 네가래는 더욱 푸른데.

忽聞歌古調, 歸思欲沾巾.

홀연 그대의 옛 노랫소리에 고향 그리워 손수건을 적시네.

春日江津游望

旅客搖邊思, 春江弄晚晴.

나그네는 변방 생각하며 흔들리고, 봄 강은 개인 저녁을 희롱한다.

煙銷垂柳弱, 霧卷落花輕.

연기에 녹아 늘어진 버들은 약하고, 안개 걷히자 낙화가 가볍구나.

---

31) (생졸년 미상). 670년, 진사에 합격하여 隰城尉가 되었고 洛陽丞에 누진되었다. 후에 연좌되어 吉州 司戶參軍으로 폄천되었다. 701년, 소환되어 著作佐郎에 오르고 후에 膳部員外郎으로 옮겼다. 705년, 峰州에 폄천되었고 얼마 안 되어 國子監主簿로 소환되어 修文館直學士가 되었다.
당 초 이래 시가의 경치 묘사와 사물 묘사가 제양 문장의 맥락을 이어받은 전통적인 방법을 돌파하여 시문의 자구를 다듬는 것으로 대구의 개괄력과 문장 의미의 용량을 제고시켜 새로운 경계를 창조해냈다.

和韋承慶過義陽公主山池五首　1

野興城中發, 朝英物外求.

야취는 성중에서 일어나고, 조정의 영재를 물외에서 구한다.

情懸朱紱望, 契動赤松游.

인정은 붉은 인끈을 바라는 데 매달렸고, 情誼는 적송자의 신선놀음에 움직
인다.

宋之問[32]의
游陸渾南山自歇馬嶺到楓香林以詩代書答李舍人適

晨登歇馬嶺, 遙望伏牛山.

새벽에 헐마령에 올라, 멀리 복우산을 바라보네.

孤出群峰首, 熊熊元氣間.

뭇 봉우리 머리 외롭게 솟은 세차게 타오르는 원기의 사이.

太和亦崔嵬, 石扇橫閃倏.

태화 역시 높고 높아, 석선을 비껴 반짝이네.

細岑互攢倚, 浮巘競奔躅.

가는 산봉우리 서로 모여 의지하고, 뜬 산마루는 다투어 달려 지나가네.

白雲遙入懷, 靑靄近可掬.

흰 구름은 멀리 품 안으로 들어오고, 푸른 운애는 가까워 잡힐 듯하네.

徒尋靈異迹, 周顧愜心目.

속절없이 영이한 흔적을 찾아, 두루 돌아보매 마음과 눈이 흡족하네.

晨拂鳥路行, 暮投人煙宿.

새벽에는 새 길을 털며 가고, 저녁에는 인가를 찾아 투숙하네.

粳稻遠彌秀, 栗芋秋新熟.

메벼는 멀리까지 팼고, 밤과 토란은 가을되어 갓 익었네.

---

32) (?~712). 汾州(지금의 산서 분양) 사람으로 『唐才子傳』에 의하면 그는 675
년, 즉 왕발이 죽기 1년 전 진사에 합격하였다. 685년, 田游巖은 고향으로
돌아가 송지문과 방외의 벗이 되었다.
708년, 그는 修文館直學士를 맡았으며 황제를 따라 장안 명승을 유람하고
많은 응제시를 지었다. 현종이 즉위하여 사람을 보내 桂州에서 자진하게
하니, 이때 그의 나이 62세였다.

石髓非一巖, 藥苗乃萬族.

돌 뿌리는 한 바위가 아니고, 약 싹은 만 가지 되네.

間關踏雲雨, 繚繞緣水木

어렵사리 구름길을 밟고, 빙 돌아 물 나무가 연해 있네.

西見商山芝, 南到楚鄕竹.

서쪽으로 상산 지초를 보고, 남쪽으로 초 고을 대밭에 이르렀네.

楚竹幽且深, 半雜楓香林

초의 대밭 그윽하고도 깊으니, 반은 풍향림에 섞였네.

浩歌淸潭曲, 寄爾桃源心.

크게 청담곡을 노래하매, 그대 도원의 마음에 부치네.

自衡陽至韶州謁能禪師

猿啼山館曉, 虹飮江皐霽.

원숭이 울음에 산중 역관이 밝아오고, 무지개가 물을 마셔 강기슭이 갠다.

湘岸竹泉幽, 衡峯石囷閉.

상수 언덕의 대밭과 샘 그윽하고, 형산 돌 곳간은 닫혔다.

嶺嶂窮攀越, 風濤極沿濟.

한없이 산마루를 기어올라 넘고, 끝없이 물 따라 내려가다 풍랑을 건넌다.

發藤州

泛舟依雁渚, 投館聽猿鳴.

배를 띄워 기러기 노는 물가에 기대고, 여관에 들어 원숭이 울음을 듣는다.

石發緣溪蔓, 林衣掃地輕.

이끼고사리는 시내에 이어 덩굴지고, 나뭇잎은 가볍게 땅을 쓴다.

露裛千花氣, 泉和萬籟聲.

이슬에선 천 가지 꽃향기가 나고, 샘은 온갖 소리에 화답하여 소리 낸다.

攀幽紅處歇, 躋險綠中行.

그윽한 데 더위잡고 올라 붉은 곳에서 쉬고, 험한 데 올라 푸름 속을 걷는다.

早入淸遠峽

雨色搖丹嶂, 泉聲聒翠微.

비 빛에 붉은 산봉우리 흔들리고, 샘 소리 푸른 山氣에 떠들썩하다.

兩巖天作帶, 萬壑樹披衣.

두 바위 자연스럽게 띠가 되고, 만학의 나무들은 옷을 입는다.

翳潭花似織, 緣嶺竹成圍.

못을 덮은 꽃은 짜 놓은 것 같고, 고개에 이어진 대밭은 울타리를 이룬다.

下桂江縣黎壁

放溜觀前激, 連山分上干.

물 따라 가는 배에서 앞 개펄을 보니, 이어진 산이 나뉘어 위로 우뚝 솟고

江回雲壁轉, 天小霧峰攢.

강은 구름 벽을 돌아 굴러오고, 하늘은 좁아 안개 낀 봉우리 모였네.

吼沫跳急浪, 合流環峻灘.

울부짖는 물거품 급한 물결에 뛰고, 합하여 산 여울을 돌아 흐르네.

欹離出漩劃, 繚繞避渦盤.

역류를 빠져 나와, 돌고 돌아 소용돌이를 피하네.

舟子怯桂水, 最言斯路難.

사공은 계수를 겁내며, 이 길이 가장 어렵다고 말하네.

吾生抱忠信, 吟嘯自安閑.

내 생애 충신을 안고, 읊고 읊조리니 절로 편안하네.

旦別已千歲, 夜愁勞萬端.

아침 이별은 이미 천년이요, 밤 근심은 만단이나 고생스럽네.

企予見夜月, 委曲破林巒.

내 밤 달 보기를 바라며, 구불구불 산 숲을 헤치네.

潭曠竹煙淨, 洲香橘露團.

못이 비어 대밭 안개가 깨끗하고, 물 가 향기 귤 이슬로 뭉쳤네.

豈傲夙所好, 對之與俱歡.

어찌 옛 좋은 것에 비기리오. 대하여 함께 같이 즐기리.

思君罷琴酌, 泣此夜漫漫.

그대를 생각하며 거문고와 술자리를 파하니, 우는 이 밤 길고도 기네.

題大庾嶺北驛

陽月南飛雁, 傳聞至此回.
시월에 남쪽으로 날아가던 기러기도, 이곳에서 다시 돌아간다는데.
我行殊未已, 何日復歸來.
내 발길은 멈출 수 없으니, 어느 때나 다시 돌아갈까.
江靜潮初落, 林昏瘴不開.
강이 조용하니 바야흐로 조수가 썰고, 숲이 어두우니 독기가 안 걷혔네.
明朝望鄉處, 應見隴頭梅.
내일 아침 고향을 바라보는 곳에서도, 농산 마루의 매화를 볼 수 있겠지.

新年作

鄉心新歲切, 天畔獨潸然.
고향 생각은 새해에 간절해, 하늘가에 홀로 눈물 흘린다.
老至居人下, 春歸在客先.
늙도록 남의 밑에 있건만, 봄은 나그네에게 먼저 돌아오는구나.
嶺猿同旦暮, 江柳共風煙.
고개 원숭이와 아침저녁을 함께 하고, 강 버들과 풍연을 같이 한다.
已似長沙傅, 從今又幾年.
이미 長沙王 太傅로 귀양 간 西漢 賈誼와 같으니, 지금부터 또 몇 해일까.

江亭晚望

浩渺浸雲根, 煙嵐出遠村.
넓은 강은 구름 뿌리에 닿고, 멀리 마을에서 푸르스름한 연기가 오르네.
鳥歸沙有迹, 帆過浪無痕.
새가 돌아가면 모래밭에 자취가 남지만, 돛대는 지나가도 물결에 흔적이
없네.
望水知柔性, 看山欲斷魂.
물을 바라보고 부드러운 성질을 알다가, 산을 보니 애가 끊기는 것 같네.
縱情猶未已, 回馬欲黃昏.
정은 버려도 오히려 그치지 않고, 말 머리를 돌리니 황혼이 찾아드네.

宿雲門寺

雲門若耶裏, 泛鷁路才通.
약야 속 운문사, 익조가 떠 길이 겨우 통하네.
黃緣綠篠岸, 遂得靑蓮宮.
푸른 대 언덕을 인연으로 하여, 드디어 청련궁에 이르렀네.
天香衆壑滿, 夜梵前山空.
하늘 향기는 모든 골짜기에 차 있고, 밤 염불 소리는 앞산을 비우네.
漾漾潭際月, 颼颼杉上風.
넘치고 넘친 못 가의 달, 바람은 적삼 위로 솔솔 부네.

茲焉多嘉遁, 數子今莫同.

여기에 아름다운 은둔이 많으나, 여러분들은 같이하지 말게.

風歸慨處士, 鹿化聞仙公.

바람은 돌아서 처사를 슬퍼하고, 사슴이 화하여 신선의 말을 듣네.

樵路鄭州北, 擧井阿巖東.

나무꾼 길은 정주 북쪽, 샘물은 언덕 바위 동쪽에서 긷네.

永夜豈云寐, 曙華忽蔥蘢.

긴 밤에 어찌 잠이 온다하랴? 새벽빛이 문득 어른거리네.

谷鳥囀尙澁, 源桃驚未紅.

골짜기 새 소리는 오히려 껄끄럽고, 도원의 복숭아는 놀라 아직 붉지 않네.

再來期春暮, 當造林端窮.

늦봄에 다시 오마 기약하며, 숲 끝까지 나가 작별하네.

庶幾踪謝客, 開山投剡中.

발자취 손님을 거의 사절하고, 섬 땅에 절을 지었네.

答田徵君

家臨靑溪水, 溪水繞盤石.

집이 푸른 시냇가에 있어, 시냇물이 반석을 두른다.

綠蘿四面垂, 裊裊百餘尺.

푸른 담쟁이는 사면에 드리워, 간들간들 백여 척.

風泉度絲管, 苔蘚鋪茵席.

바람 소리 샘 소리는 사죽을 건느고, 이끼는 자리에 깔렸다.

傳聞穎陽人, 霞外漱靈液.

전해 들으니 영양 사람이 노을 밖에서 이슬로 양치질한단다.

忽枉巖中翰, 吟望朝復夕.

문득 석굴 속 편지를 굽혀, 아침저녁으로 읊고 바라본다.

何當遂遠游, 物色候逋客.

어찌 원유 나감이 마땅하랴, 물색이 은둔한 사람을 기다리는데.

溫泉莊臥病寄楊七炯

是日濛雨晴, 返景入巖谷.

이 날 자욱한 가랑비가 개어, 저녁볕이 바위 골에 든다.

羃羃潤畔草, 靑靑山下木.

덮고 덮은 시냇가 풀, 푸르고 푸른 산 아래 나무.

夏餘鳥獸蕃, 秋末禾黍熟.

여름 뒤에는 조수가 많고, 가을 끝에는 벼와 기장이 익는다.

秉願守樊圃, 歸閑欣藝牧.

쭉 바라온 건 울안의 밭을 지키며 한가함에 돌아가 기쁘게 김매고 목축하는 것.

陸渾山莊

歸來物外情, 負杖閱巖耕.
돌아왔나니 세상 밖의 이 심정, 지팡이 짚고 산 밭갈이 살펴보네.
源水看花入, 幽林采藥行.
꽃을 보려고 도원의 물에 들고, 깊은 숲으로 약 캐러 가네.
野人相問姓, 山鳥自呼名.
농부들은 서로 성을 묻고, 산새들은 제 이름 제가 부르네.
去去獨吾樂, 無然愧此生.
갈수록 내 홀로 즐기는 것을, 내 생이 괜스레 부끄럽네.

緱山廟

徒聞滄海邊, 不見白雲歸.
헛되이 창해 가만 듣고, 백운이 돌아가는 것은 보지 않았다.
天路何其遠, 人間此會稀.
하늘 가 길은 어찌 그리 먼고? 인간에 이런 만남은 드무니.

沈佺期[33]의 過蜀龍門

龍門非禹鑿, 詭怪乃天功.

용문은 우가 판 것이 아니니, 이상야릇한 것은 하늘의 공.

西南出巴峽, 不與衆山同.

서남쪽으로 파협을 나가면, 뭇 산과 같지 않네.

長竇亘五里, 宛轉復嵌空.

긴 구정은 오리를 뻗쳤고, 이리저리 뒤척여 산골짜기가 비었네.

伏湍煦潛石, 瀑水生輪風.

숨은 여울에 잠긴 돌을 따뜻하게 하고, 폭포수에는 회오리바람이 생기네.

流水無日夜, 噴薄龍門中.

물은 밤낮없이 흘러, 용문에 뿌리고 치네.

潭河勢不測, 藻葩垂彩虹.

못 물은 헤아릴 수 없으니, 마름 위로 무지개가 드리웠네.

我行當季月, 煙景共春融.

나의 가는 길 섣달에 당해, 연무와 경치가 함께 어우러졌네.

江關勤亦甚, 巘嶁意難窮.

강가의 수고로움도 심하여, 멧부리 뜻을 다하긴 어렵네.

---

33) (656~714). 相州 內黃(지금의 하남 내황현) 사람으로 13~4세 때, 부친을
따라 유람하여 荊襄에 거주하였고 장강 三峽에도 갔다. 675년, 진사에
합격하여 평민으로 벼슬길에 들어서 協律郎이 되고 후에 考功員外郎이 되
었다가 給事中에 옮겼다. 중종이 복벽한 후 驩州에 장기간 유배되어 있었
다. 후에 사면되어 북으로 돌아와 起居郎과 수문관직학사를 겸하였고 많
은 奉和應制詩를 지었다.
그의 산수시는 대다수가 궁정에서와 유배 도중에서 지은 것이며 五古와
五排 장편이 많다.

勢將息機事, 煉藥此山東.

형편이 세상일을 쉬게 되어, 이 산 동쪽에서 약을 달이네.

神龍初廢逐南荒途出郴口北望蘇耽山

少曾讀仙史, 知有蘇耽君.

어려서 일찍 신선전을 읽어, 소탐군을 안다.

流望來南國, 依然會昔聞.

여기저기 바라보다 남국에 와 보니, 의연히 전에 들은 것이 이해된다.

泊舟問耆老, 遙指孤山雲.

배를 대고 기로에게 물으니, 멀리 고산 구름을 가리킨다.

孤山郴郡北, 不與衆山群.

고산은 침군 북쪽인데, 뭇 산과 같지 않다.

重崖下縈映, 嶕嶢上糾紛.

겹친 낭떠러지에는 빛줄기가 감돌아 내리고, 높고 높이 어지럽게 얽혀 오른다.

碧峰泉附落, 紅壁樹傍分.

푸른 봉우리에 샘이 붙어 떨어지고, 붉은 벽에는 나무가 옆으로 뻗는다.

選地今方爾, 升天因可云.

땅의 선택 바로 지금이니, 승천은 여기에서 할 만하다 하리.

紹隆寺

吾從釋迦久, 無上師涅槃.

내 석가를 따른 지 오래지만, 올라가 열반을 스승하지는 않았네.

探道三十載, 得道天南端.

도를 찾아 삼십 년, 하늘 남단에서 도를 깨쳤네.

非勝適殊方, 起誼歸理難.

다른 지방으로 감만 못하니, 우의를 맺고 이로 돌아가기가 어렵네.

放棄乃良緣, 世慮不曾干.

놓아두는 것이 좋은 인연, 세상 걱정은 일찍이 간여하지 않네.

香界縈北渚, 花龕隱南巒.

향기로운 세계 북쪽 물가에 얽혔고, 꽃 감실은 남쪽 산에 숨었네.

危昂階下石, 演漾窗中瀾.

섬돌 아래 돌은 위태롭게 높고, 물결은 창 가운데서 출렁이네.

雲盖看木秀, 天空見藤盤.

구름이 덮어 나무 뾰쪽하게 보이고, 하늘이 비어 넝쿨이 둘러 보이네.

處俗勒宴坐, 居貧業行壇.

속세에 있으면서 연좌에 묶였으니, 가난하게 사는 것은 행업의 단.

試將有漏軀, 聊作無生觀.

시험 삼아 병이 있는 몸을 이끌고, 애오라지 불생불멸의 관점을 갖네.

了然究諸品, 彌覺靜者安.

요연히 여러 품을 캐보다가, 더욱 고요한 것이 편안함을 깨닫네.

辛丑歲十月上幸長安時扈從出西岳作

諸嶺皆峻秀, 中峰特美好.

모든 고개가 다 준수한데, 중봉이 특히 아름답다.

傍見巨掌存, 勢如石束倒

곁으로 큰 손바닥 있는 것이 보이고, 세는 돌이 동쪽으로 넘어질 듯.

子先呼其巔, 宮女世不老.

그대가 먼저 그 산정을 불렀으니, 궁녀가 대대로 늙지 않겠지.

磅礴壓洪源, 巍峨壯清昊

가득 차 황하의 수원을 누르고, 높이 솟아 맑은 하늘에 웅장하다.

雲泉紛亂瀑, 天磴屹橫抱

구름 샘은 흩어져 어지럽게 폭포 지고, 돌 구름다리는 우뚝 솟아 가로 안았다.

早發平昌島

陽烏出海樹, 雲雁下江煙.

태양은 바다 나무에서 나오고, 구름 속 기러기는 강 안개 속으로 내려온다.

積氣沖長島, 浮光溢大川.

하늘은 긴 섬에 부딪치고, 물에 비친 달은 대천에 가득하다.

夜宿七盤嶺

獨游千里外, 高臥七盤西.
천리 밖에 홀로 떠돌다가, 칠반령 서쪽에 높이 누웠더니.
曉月臨窗近, 天河入戶低.
새벽달은 창에 가깝고, 은하수는 문에 들어 나직하다.
芳春平仲綠, 淸夜子規啼.
꽃다운 봄 푸른 은행나무, 맑은 밤 두견새 울음소리.
浮客空留聽, 褒城聞曙鷄.
나그네 부질없이 귀 기울이면, 포성의 새벽 닭 우는 소리 들려오네.

龍池篇

龍池躍龍龍已飛, 龍德先天天不違.
용 못에 용이 뛰어 용이 이미 날아, 용의 덕은 선천이라 자연을 어기지 않
는다.
池開天漢分黃道, 龍向天門入紫微.
못이 열려 천한은 황도를 나누고, 용은 천문을 향해 자미원으로 들어간다.

入少密溪

雲峰苔壁繞溪斜, 江路香風夾岸花.

구름 봉우리 이끼 벽은 시내를 둘러 비꼈고, 강 길 향기로운 바람은 언덕을 낀 꽃.

樹密不言通鳥道, 鷄鳴始覺有人家.

나무가 빽빽하여 새 길이 통하는 것을 말하지 못하는데, 닭이 울어 비로소 인가가 있음을 안다.

人家更在深巖口, 澗水周流宅前後.

인가는 다시 깊은 바위 어귀에 있고, 시냇물은 두루 집 앞뒤로 흐른다.

游魚瞥瞥雙釣童, 伐木丁丁一樵叟.

노는 고기 언뜻언뜻 낚시질하는 두 아이, 쩡쩡 나무 찍는 소리 한 나무꾼 영감님.

自言避喧非避秦, 薜衣耕鑿帝堯人.

스스로 말하기를 시끄러움을 피한 것이지 진을 피한 것이 아니라오, 담쟁이 옷 입고 갈고 파는 요 임금 때 사람.

相留且待鷄黍熟, 夕臥深山蘿月春.

서로 머물러 또 닭고기와 기장밥이 익기를 기다리며, 저녁에 깊은 산 넝쿨 달 봄에 누웠다.

江樓

獨酌芳春酒, 登樓已半醺
홀로 꽃다운 봄 술을 잔질하여, 다락에 오를 제 이미 반이나 취했네.
誰驚一行雁, 沖斷過江雲
뉘 한 줄 기러기를 놀래, 강 구름을 되질러 끊고 지나는가.

殷遙 友人山亭

故人雖薄宦, 往往涉淸溪
친구가 비록 벼슬이 낮지만, 왕왕 맑은 시내를 건넌다.
鑿牖對山月, 褰裳拂澗霓
들창을 내 산 달을 대하고, 치맛자락을 걷어 시내 무지개를 턴다.
游魚逆水上, 宿鳥向風棲
노는 물고기는 물을 거슬러 오르고, 저녁 새는 바람을 향해 깃들인다.
一見桃花發, 能令秦漢迷
한번 복사꽃 피는 것을 보면, 진 한 때인가 헷갈리리.

春晚山行

寂歷靑山晚, 山行趣不稀.
적막한 청산의 저녁, 산행 풍치가 드물지 않다.
野花成子落, 江燕引雛飛.
들꽃은 씨를 맺어 떨어지고, 강 제비는 새끼를 데리고 난다.
暗草薰苔徑, 晴楊掃石磯.
숨은 풀은 이끼 길에 향기롭고, 개인 버들은 물가 돌을 쓴다.
俗人猶語此, 余亦轉忘歸.
속인도 이를 말하는데, 나도 점점 돌아갈 것을 잊는다.

包融의 登翅頭山題儼公石壁

晨登翅頭山, 山暒黃霧起.
새벽에 시두산에 오르니, 산에 어스레한 누런 안개가 일어난다.

却瞻迷向背, 直下失城市.
문득 보니 앞뒤가 희미하여, 바로 내려감에 성시를 잃었네.

曒日銜東郊, 朝光生邑里.
밝은 달은 동쪽들에 머금었고, 아침빛에 마을이 나타나네.

掃除諸煙氛, 照出衆樓雉.
모든 연기 기운을 쓸어버리니, 비추어 모든 다락 성이 나타나네.

靑爲洞庭山, 白是太湖水.
푸른 것은 동정 산이 되고, 하얀 것은 태호 물이라네.

蒼茫遠郊樹, 倏忽不相似.
아득한 먼 교외의 나무가, 문득 서로 같지 않네.

萬象以區別, 森然共盈幾.
만상이 있어 서로 구별하니, 삼연히 같이 찬 것이 얼마이던고.

坐令開心胸, 漸覺落塵滓.
앉아 하여금 마음과 가슴을 열고, 점점 찌꺼기가 떨어짐을 깨닫네.

北巖千餘仞, 結廬誰家子.
북쪽 바위는 천 여 길인데, 집을 얽은 것은 뉘 집일까.

願陪中峰遊, 朝暮白雲裏.
원컨대 모시고 중봉으로 놀러 가 아침저녁 흰 구름 사이였으면.

酬忠公林亭

江外有眞隱, 寂居歲已侵.
강 밖에 참 은사 있어, 고요히 살아 세월이 이미 침범했네.

結廬近西術, 種樹久成陰.
서쪽 고을 가까이 집을 짓고, 나무를 심어 오래 그늘을 이루네.

人迹乍及戶, 車聲遙隔林.
사람의 발자취는 잠깐 문에 미치고, 수레 소리는 멀리 숲에 막혔네.

自言解塵事, 咫尺能緇塵.
스스로 말하기를 풍진 일을 푼다고 하나, 지척에 능히 검은 티끌이라.

爲道豈廬霍, 會靜由吾心.
도를 함에 어찌 여 곽일 것인가, 고요함을 아는 것은 나의 마음으로 말미암더라.

方秋院木落, 仰望日蕭森.
바야흐로 가을에 정원 나무가 떨어지니, 우러러보매 해가 솟아나더라.

持我興來趣, 采菊行相尋.
나의 흥을 가지고 달려가니, 국화를 따서 행하여 서로 찾더라.

塵念到門盡, 遠情對君深.
티끌 생각은 문에 이름에 다하고, 먼 정은 그대를 대함에 깊더라.

一談入理窟, 再索破幽襟.
한번 말함에 이치의 소굴에 들어가고, 두 번 찾으매 깊은 회포를 깨뜨리더라.

安得山中信, 致書移尙禽.
어떻게 산중의 소식을 얻어, 편지를 써서 상금에게 옮길까.

147

沈如筠의 寄張徵古

寂歷遠山意, 微冥半空碧.

고요함은 먼 산의 뜻이요, 가늘고 어둠은 반공에 푸르더라.

綠蘿無冬春, 彩雲竟朝夕.

푸른 넝쿨은 겨울 봄이 없고, 채색 구름은 아침저녁으로 마치더라.

張子海內奇, 久爲巖中客.

장자는 해내의 기인인데, 오래 바위 가운데 손님이 되었네.

聖君當夢想, 安得老松石.

성군은 마땅히 몽상이니, 어떻게 늙은 솔과 돌을 얻을까.

張旭의 淸溪泛舟

旅人倚征棹, 薄暮起勞歌.

나그네는 가는 돛대에 기대고, 석양에 노가가 일어나네.

笑攬淸溪月, 淸輝不厭多.

웃고 청계 달을 잡으니, 맑고 빛나서 싫증이 나지 않더라.

桃花溪

隱隱飛橋隔野煙, 石磯西畔問漁船.

안개 낀 저 편 은은한 무지개다리. 서편 물가 절벽에서 어부에게 묻노라.

桃花盡日隨流水, 洞在淸溪何處邊?

복사꽃 하루 종일 물 위에 떠가는, 이 푸른 냇가 무릉도원은 어디쯤인가?

萬齊融의 送陳七還廣陵

落花馥河道, 垂楊拂水窓.

낙화는 황하 물길에 향기롭고, 수양은 물가 창을 턴다.

海潮與春夢, 朝夕廣陵江.

해조와 춘몽이 함께 하는, 조석의 광릉강.

邢巨의 游春

綠潭漁子釣, 紅樹美人攀.

푸른 늪에서 어부는 낚시질하고, 붉은 나무를 미인은 끌어당긴다.

弱蔓環沙嶼, 飛花點石關.

약한 덩굴은 작은 모래섬을 두르고, 날리는 꽃 석문에 점찍는다.

張若虛의 春江花月夜

春江潮水連海平, 海上明月共潮生.

봄 강의 조수는 먼 바다에 잇닿아, 바다 위의 밝은 달이 조수와 함께 떠오
르네.

灩灩隨波千萬里, 何處春江無月明.

넘실대는 물결 따라 천만리, 어느 봄 강에 달이 밝지 않으랴.

江流宛轉繞芳甸, 月照花林皆似霰.

강물은 굽이굽이 푸른 들을 감돌고, 꽃과 숲에 비친 달빛 다 싸락눈 같구나.

空裏流霜不覺飛, 汀上白沙看不見.

달이 밝아 밤 서리 내리는 줄 모르고, 물가 백사장은 눈부셔 보이지도 않네.

江天一色無纖塵, 皎皎空中孤月輪.

강물과 하늘은 한 빛 되어 티끌 하나 없는데, 휘영청 둥근 달만 공중에 외
롭네.

江畔何人初見月? 江月何年初照人?

강가의 누가 처음 달을 보았을까? 강월은 언제 처음 사람을 비췄을까?

人生代代無窮已, 江月年年只相似.

인생은 대를 이어 끝이 없고, 강월은 해마다 서로 같을 뿐.

不知江月待何人, 但見長江送流水.

강월은 누구를 기다리는가, 보이는 건 장강이 흐르는 물을 보내는 것 뿐.

白雲一片去悠悠, 靑楓浦上不勝愁.

흰 구름 한 조각 유유히 떠가는데, 포구의 푸른 단풍나무 시름겨워하누나.

誰家今夜扁舟子? 何處相思明月樓?

오늘밤 누가 쪽배를 띄웠는가? 어느 곳 달 밝은 다락에서 임을 그리는가?

可憐樓上月徘徊, 應照離人粧鏡臺.

가련해라 다락 위를 배회하는 저 달은, 수심에 젖은 임의 경대를 비추리라.

玉戶簾中卷不去, 搗衣砧上拂還來.

옥 문 주렴 속에 있다 걷어도 가지 않고, 다듬잇돌에서 떨쳐버려도 다시 찾아오네.

此時相望不相聞, 願逐月華流照君.

지금 서로 바라보지만 서로 소식 모르니, 달빛에 소식 담아 임을 비추었으면.

鴻雁長飛光不度, 魚龍潛躍水成文.

기러기는 멀리 날아도 달빛을 건널 수 없고, 어룡은 잠겼다 뛰어도 물결만 남길 뿐.

昨夜閒潭夢落花, 可憐春半不還家.

지난 밤 꿈에 고요한 연못의 꽃이 지던데, 가련하다 이 봄에도 돌아가지 못하는구나.

江水流春去欲盡, 江潭落月復西斜.

강물 따라 흐르는 봄 벌써 다 가려하고, 강물에 비친 달도 다시 서편으로 기우네.

斜月沈沈藏海霧, 碣石瀟湘無限路.

기우는 달 어둑어둑 바다 안개 속에 숨는데, 북쪽 땅 남쪽 물 끝이 없는 길.

不知乘月幾人歸, 落月搖情滿江樹.

몇이나 저 달빛 타고 집에 돌아가는고, 지는 달 내 마음 흔들고 강엔 나무만 가득.

賀知章의 采蓮曲

稽山罷霧郁嵯峨, 鏡水無風也自波.
계산이 안개가 걷혀 성하게 높고 높으니, 경수는 바람 없는데 절로 물결
치네.
莫言春度芳菲盡, 別有中流采芰荷.
봄이 지나서 꽃다움이 다했다고 말하지 마라, 따로 중류에서 연을 캔다네.

回鄉偶書 2

離別家鄉歲月多, 近來人事半銷磨.
고향을 이별한 지 세월이 많이 흘러, 근래 인사는 반이나 없어졌다네.
唯有門前鏡湖水, 春風不改舊時波.
오직 문 앞에 경호수가 있어, 봄바람은 옛 시절 물결을 고치지 않더라.

答朝士

釵鏤銀盤盛蛤蜊, 鏡湖蓴菜亂如絲.
번쩍번쩍한 은 소반에 조개를 담았으니, 경호의 순채 나물은 실같이 얽히고
설키었네.

鄕曲近來佳此味, 遮渠不道是吳兒.

고향에는 요즘 이 맛이 좋으리니, 도랑을 가리고 말하지 않는 오의 아이네.

張旭의 山行留客

山光物態弄春輝, 莫爲輕陰便擬歸.

산 빛과 물 태도는 봄빛을 희롱하며, 세월을 가벼이 하지 말고 문득 돌아가려 하라.

縱使晴明無雨色, 入雲深處亦沾衣.

비록 하여금 청명하여 비 빛은 없으나, 구름 깊은 곳에 들어가니 역시 옷을 적시네.

陶峴의 西塞山下回舟作

匡廬舊業是誰主, 吳越新居安此生.

광려의 옛 업은 누가 주관하는고. 오월의 새 집은 이 삶이 편안하네.

白髮數莖歸未得, 青山一望計還成.

백발 수 줄기가 나도록 돌아가지 못하였으니, 청산을 한번 바라보니 계획을
도리어 이루었더라.

鴉翻楓葉夕陽動, 鷺立蘆花秋水明.

까마귀는 단풍잎을 뒤집어 석양에 움직이고, 해오라기는 갈대꽃에 서니 가
을 물이 밝더라.

從此舍舟何所詣, 酒旗歌扇正相迎.

이로부터 배를 놓아 어느 곳으로 나갈까, 술집 깃대 노래와 부채춤에 맞게
서로 맞이하더라.

張子容의 自洛城赴永嘉枉路泛白湖寄松陽李少府

西行碍淺石, 北轉入溪橋.
서쪽으로 가자니 얕은 돌이 막아, 북쪽으로 돌아 시내 다리로 든다.
樹色煙輕重, 湖光風動搖.
나무 빛은 연기에 가볍다 무거워지고, 호수 빛은 바람에 동요한다.
百花亂飛雪, 萬嶺疊靑霄.
백화는 눈처럼 어지러이 날리고, 만 고개는 푸른 하늘에 겹쳤다.
猿挂臨潭篠, 鷗迎出浦橈
원숭이는 못 가 조릿대에 매달리고, 갈매기는 포구를 나서는 노를 맞는다.

泛永嘉江日暮回舟

無雲天欲暮, 輕鷁大江淸.
구름 없이 날은 저물어 가고, 가벼운 익수 대강은 맑다.
歸路煙中遠, 回舟月上行.
귀로는 연무 속에 멀고, 돌아가는 배 달 위를 간다.
傍潭窺竹暗, 出嶼見沙明.
못 옆으로 어두운 대숲이 보이고, 작은 섬을 나와 밝은 모래밭을 본다.
更值微風起, 乘流絲管聲.
다시 일어나는 미풍을 만나, 흐름을 타니 사관 소리.

贈司勳蕭郎中

未睹風流日, 先聞新賦詩.

풍류 날은 보지 못하고, 먼저 새로 지은 시를 듣는다.

江山淸謝朓, 花木媚丘遲.

강산은 사조의 시처럼 맑고, 꽃과 나무는 구지의 시같이 아름답다.

孫逖의 夜宿浙江

扁舟夜入江潭泊, 露白風高氣蕭索.

편주에 밤이 되어 강변에 대니, 이슬은 희고 바람은 높아 공기가 소슬하다.

富春渚上潮未還, 天姥岑邊月初落.

부춘강 가에 조수는 아직 돌아오지 않았고, 천모산 봉우리 가로 달은 막 떨어졌다.

煙水茫茫多苦辛, 更聞江上越人吟.

연무 낀 수면은 망망하여 고생이 많은데, 다시 강상의 월나라 사람 노래가 들린다.

洛陽城闕何時見, 西北浮雲朝暝深.

낙양 성곽은 언제나 볼까, 서북 부운은 아침에도 어둡게 깊다.

張說34)의 江路憶郡

水宿厭洲渚, 晨光屢揮忽.

배에서 자다 보니 모래톱도 질리는데, 아침 햇빛은 자주 변덕스럽다.

林澤來不窮, 煙波去無歇.

산수는 끝없이 오고, 연파는 끊임없이 간다.

相州山池作

嘗懷謝公詠, 山水陶嘉月.

일찍 사공의 시를 생각하였더니, 산수는 삼월에 화창하다.

及此年事衰, 徒看衆花發.

올해는 일이 줄어, 한갓 뭇 꽃이 피는 것을 본다.

觀魚樂何在, 聽鳥情都歇.

물고기 구경하는 즐거움은 어디에 있을까, 새 소리 들으니 모든 생각이 그친다.

---

34) (667~730). 자는 道濟, 혹은 說之로 낙양 사람이다. 그는 측천, 예종, 현종
조정을 겪은 원로이다.
　무측천 말, 張易之 형제의 미움을 사게 되어 欽州로 귀양 갔다. 중종 때,
兵部員外郎, 工部侍郎, 兵部侍郎 등을 거쳐 弘文館學士가 되었다. 예종 때,
재상을 지냈고 太平公主의 눈 밖에 나 파직되어 東都留守로 갔다. 2년 후
다시 돌아와 中書令이 되고 燕國公에 봉해졌다.
　개원(713~741) 초, 姚崇과 화목하지 못해 쫓겨나 相州 자사가 되었고 얼
마 안 되어 岳州 자사로 폄천되었다. 721~2년, 叛胡 康待賓과 잔당을 격
파한 전공으로 다시 중서령을 맡았다. 729년, 다시 尙書左丞相, 集賢院學士
가 되었다. 장열은 문무를 겸비하여 세 차례나 재상이 되었다.

行從方秀川與劉評事文同宿

竇中病羈挂, 方外嫌縱誕
세상은 속박을 괴로워하고, 방외는 호언장담을 싫어하지.
願君樂盛時, 無嗟帶纏緩
원컨대 그대는 성시를 즐기고, 띠가 느슨해짐을 한탄하지 말게.

岳州作

髮白思益壯, 心玄用彌拙.
머리는 희어져도 생각은 더욱 씩씩하고, 마음이 깊어져 씀이 더욱 옹졸하다.
唯有報恩字, 刻意長不滅.
오직 보은 두 자가 있으니, 마음에 새겨 길이 잊지 않으리.

聞雨

念我勞造化, 從來五十年.
생각건대 내가 조화에 애쓴 지 지금까지 오십 년.
誤將心徇物, 近得還自然.
마음으로 물을 잘못 좇았다가, 요즘에야 자연으로 돌아왔네.

蜀路 2

鷹飢常啄腥, 鳳飢亦待瓊.

매는 굶주리면 항상 비린 것을 쪼고, 봉은 굶주려도 옥을 기다린다.

于君自有屬, 物外豈能輕.

그대에게 절로 부탁하노니, 물외를 어찌 가벼이 할 수 있으랴.

岳州九日宴道觀西閣

凉雲霾楚望, 濛雨蔽荊岑.

먹장구름에 초의 산천이 뿌옇고, 자욱한 가랑비 형산을 가린다.

登眺思淸景, 誰將眷濁陰.

높은 데 올라 조망할 땐 맑은 경치를 생각하지, 누가 흐린 그늘을 돌아볼까.

釣歌出江霧, 樵唱入山林.

어부 노래는 강 안개 속에서 나오고, 나무꾼 노래는 숲으로 들어간다.

魚以嘉名采, 木爲美材侵.

고기는 좋은 이름 때문에 잡히고, 나무는 좋은 재목이기에 베인다.

岳陽石門墨山二山相連有禪堂觀天下絶境

囷輪江上山, 近在華容縣.

균륜강 위의 산이, 가까이 화용현에 있어.

常涉巴丘首, 天晴遙可見.

항상 파구 머리를 건너, 하늘이 개어 멀리까지 보인다.

佳游屢前諾, 芳月愆幽眷.

아름다운 놀음이 자주 앞에 허락해 있으니, 꽃다운 달에 깊이 생각함을 허물한다.

及此符守移, 歡言臨道便.

이에 미치어 부수를 옮기니, 기쁘게 말하여 길 편에 임했다.

旣携賞心客, 復有送行掾.

이미 마음을 주는 손님을 이끌고, 다시 나를 보내주는 아전이 있다.

竹徑入陰, 松蘿上空蒨.

대나무 길은 그늘에 들어가서 깊고, 솔 넝쿨은 공중으로 올라가 얽혔네.

草共林一色, 雲與峰萬變.

풀은 숲과 한 빛이고, 구름은 봉우리와 더불어 만이나 변하네.

探窺石門斷, 緣越沙澗轉.

석문을 더듬어 엿보니 끊어지고, 모래밭 물가를 연하여 넘어 굴러가네.

兩山勢爭雄, 峰巘相顧眄.

양산은 형세가 자웅을 겨루는 것 같고, 멧부리는 서로 돌아보는 것 같네.

藥妙靈仙寶, 境華巖壑選.

약의 묘함은 신선의 보배요, 지경이 빛나는 것은 바위 골짜기의 빼어남이라.

淸都西淵絶, 金地東敞宴.

청도는 서연에서 끊어지고, 금지는 동쪽 창의 잔치더라.

池果接園畦, 風煙邇臺殿

못 가의 과일은 저문 언덕에 접했고, 바람과 안개는 대 전각에 가깝네.

高尋去石頂, 曠覽天宇遍

높이 찾아 바위 정수리에 가니, 넓게 천우를 두루 보이네.

千山紛滿目, 百川豁對面

천산은 어지럽게 눈에 가득하고, 백 내는 넓게 얼굴을 대하네.

騎來雲氣迎, 人去鳥聲戀

말 타고 구름 기운을 맞이하니, 사람은 가는데 새 소리가 사랑스럽네.

長揖桃源士, 擧世同企羨

길게 도원의 선비를 읍하니, 온 세상이 같이 부러워하네.

春雨早雷

東北春風至, 飄飄帶雨來

동북에 춘풍이 불어, 표표히 비를 띠고 온다.

拂黃先變柳, 點素早驚梅

버들눈을 털어 먼저 버들을 변하게 하고, 점점이 흰 버들개지 일찍 매화를 놀랜다.

游洞庭湖

平湖曉望分, 仙嶠氣氛氳.

평평한 호수에 새벽 전망이 트이니, 신선 산길로 기운이 왕성히 오른다.

鼓枻乘淸渚, 尋峰弄白雲.

노를 저어 맑은 물가에 올라, 봉우리를 찾아 백운을 희롱한다.

江寒天一色, 日靜水重紋.

강은 차 하늘과 한 빛인데, 날이 고요하여 물에 무늬가 겹친다.

樹坐參猿嘯, 沙行入鷺群.

나무에 앉아 원숭이 울음을 듣고, 모래밭을 걸어 해오라기 떼에 들어간다.

緣源斑篠密, 冒徑綠蘿分.

샘 가 반죽은 빽빽하고, 비탈길엔 푸른 담쟁이가 엉클어졌다.

酬崔光祿冬日述懷贈答

留臺少人務, 方駕遞尋追.

대에 머물며 일이 적어, 탈 것을 번갈아 찾아 쫓는다.

涉玩懷同賞, 霑芳憶共持.

구경거리를 지나며 함께 완상할 마음이요, 향기에 젖어서는 같이 가질 생각.

迎賓南澗飮, 載妓東城嬉.

손님을 맞아 남쪽 냇가에서 마시고, 기녀를 태우고 동쪽 성에서 즐거이 논다.

春郊綠畝秀, 秋澗白雲滋.

봄들에는 푸른 이랑이 빼어나고, 가을 산골짜기에는 백운이 많다.

名畵披人物, 良書討滯疑

명화로 인물을 파헤치고, 양서로 막히고 의심스러운 것을 더듬기.

奉酬韋祭酒自湯還都經龍門北溪莊見貽之作

聞君湯井至, 瀟麗憩郊林.

들자니 그대 온천에 이르러, 소쇄하게 성 밖 숲에서 쉰다 하네.

拂曙攜淸賞, 披雲覿綠岑.

새벽을 떨치고 깨끗함을 구경하고, 구름을 헤치며 푸른 봉우리를 가까이하네.

歡言遊覽意, 款曲望歸心.

유람할 뜻 환담하지만, 돌아가기를 바라는 마음 관곡하네.

是日期佳客, 同山忽異尋.

이 날 반가운 손님을 기약했는데, 같은 산에서 문득 달리 찾네.

桃花迂路轉, 楊柳間門深.

도화는 길을 돌아 뒹굴고, 양류는 문 사이에 짙네.

泛舟伊水漲, 系馬香樹陰.

배 띄운 이수는 가득 차 넘치는데, 향기로운 나무 그늘에 말을 매네.

繁弦弄水族, 嬌吹狎沙禽.

급한 가락은 수족을 놀리고, 아리따운 선율은 물새를 희롱하네.

春滿汀色媚, 景斜嵐氣侵.

봄 가득한 물가 경치 곱고, 볕 기울자 이내가 엄습하네.

王琚의 奉答燕公

煙景惜歡賞, 雲山起翰墨.
연경은 기뻐하며 보기 아깝고, 운산은 한묵을 일으킨다.
接藝奇思微, 偶談玄言直.
재주를 접하고 기사가 희미해져, 마침 현언의 곧음을 말한다.
永日不知倦, 逾旬猶謂亟.
긴 해 고달픈 줄 모르고, 열흘이 넘었는데도 빠르다 한다.

趙冬曦의 奉和張燕公早霽南樓

煙靄夕微蒙, 幽灣賞未窮.

아지랑이는 저녁 되어 어슴푸레한데, 깊은 물굽이를 다 구경하지 못하였다.

物華蕩暄氣, 春景媚晴旭.

경치는 기운을 널리 따뜻하게 하고, 춘경은 맑은 하늘 아침 해 아래 곱다.

川霽湘山孤, 林芳楚郊縟.

내 개어 상산은 외롭고, 숲은 아름답게 초의 교외를 꾸몄다.

列巖重疊翠, 遠岸逶迤綠.

늘어선 바위 겹쳐 푸르고, 멀리 언덕은 구불구불 푸르다.

王灣의 次北固山下

客路靑山下, 行舟綠水前.

나그넷길은 청산 아랜데, 가는 배는 푸른 물결 앞이네.

潮平兩岸闊, 風正一帆懸.

조수가 들어와 강폭은 넓어지고, 순풍에 외 돛단배.

海日生殘夜, 江春入舊年.

바다 해는 밤이 다 가기도 전에 떠오르고, 강 봄은 한 해가 저물기 전에 오는데.

鄕書何處達? 歸雁洛陽邊.

고향 편지를 어느 편에 부칠까? 돌아기는 지 기러기는 낙양 근처로 가겠지.

張九齡[35]의 歲初巡屬縣登高安南樓言懷

餘滋含宿霽, 衆姸在朝暾.

흐린 뒤끝이 밤의 갬을 머금어, 여러 아름다움이 아침 해에 있다.

拂衣釋簿領, 伏檻遺紛喧.

옷을 털고 문서를 벗어버리니, 엎드린 난간에 떠들썩함만 남았구나.

深俯東溪澳, 遠延南山樊.

깊이 동쪽 시내 굽이를 굽어보고, 멀리 남산 숲을 맞이한다.

臨泛東湖

乘流坐淸曠, 擧目眺悠緬.

흐름을 타고 앉으니 깨끗하고 탁 트였고, 눈을 들어 보니 유원하다.

晶明畫不逮, 陰影鏡無辨.

---

35) (678~740). 韶州 曲江(지금의 광동 韶關市) 사람으로 20세에 향시 진사에
합격하고 考功郞 沈佺期가 가장 높게 올려 단번에 높은 성적으로 과거에
합격하였다. 현종이 동궁 때, 정책에 대해 질문하여 장구령의 대책이 높아
右拾遺로 승진하고 723년, 中書舍人에 임명되었다. 장열이 재상 직에서 물
러난 후 연루되어 冀州 자사로 강직되었고 후에 洪州 도독, 桂州 도독, 嶺
南道 안찰사 등을 맡았다. 장열이 사망한 후 장구령은 秘書少監, 集賢院學
士, 副知院事 등으로 선발되었다. 733년, 中書侍郞同中書門下平章事로 임명
되고 이듬해 中書令으로 승진하였다. 735년, 始興縣伯에 봉해졌다. 李林甫
의 배척을 받아 736년에 재상 직을 그만두고 尙書右丞相으로 옮겼다가 얼
마 안 되어 荊州大都督府長史로 폄천되었다. 남방에 돌아가 성묘하고 韶州
曲江 자택에서 병으로 죽었다.

맑고 밝음은 그림도 미치지 못하고, 그림자는 거울로도 분별 안 된다.

晚秀復芬敷, 秋光更遙衍.

때늦은 꽃은 다시 향기를 뿜고, 가을빛은 또다시 멀리 비친다.

彭蠡湖上

沿涉經大湖, 湖流多行洲.

물 따라 내려가 건너 대호를 지나니, 호수 물이 많아 넘쳐흐른다.

決晨趨北渚, 逗浦已西日.

동트면서 북쪽 물가로 가, 포구에 이르니 벌써 서녁.

所適雖淹曠, 中流且閑逸.

가는 곳 비록 넓게 비었어도, 중류는 또한 한가롭고 편안하다.

瑰詭良復多, 感見乃非一.

기괴함이 참으로 많아, 느낌도 한두 가지가 아니다.

盧山直陽滸, 孤石當陰術.

여산는 바로 북쪽 물가, 외로운 바위 어둡고 좁은 길을 막는다.

一水雲際飛, 數峰湖心出.

한 가닥 물줄기 구름 사이를 날고, 몇 봉우리 호수 가운데로 나온다.

象類何交糾, 形言豈深悉.

심히 서로 얽힌 모양들을, 어떻게 깊이 다 형언하리.

且知皆自然, 高下無相恤.

다 자연임을 아노니, 고하가 서로 가까이하지 않는다.

入廬山仰望瀑布水

物情有詭激, 坤元曷紛矯.

물정은 괴이하며 과격하고, 대지는 어찌나 어지럽게 나는지.

默然置此去, 變化誰能了.

잠잠히 여기에 두고 가니, 변화를 누가 능히 요해할까.

雜詩 5

道家貴至柔, 儒生何固窮.

도가는 지극히 부드러움을 귀히 여기는데, 유생은 왜 고궁할까.

終始行一意, 無乃過愚公.

시종 한 뜻을 행하니, 우공보다도 지나치지 않는가.

在郡秋懷

平生去外飾, 直道如不羈.

평생 겉치레를 버리고, 바른 길로 아무 속박도 받지 않는 듯.

蘭艾若不分, 安用馨香爲.

난초와 쑥을 구분하지 않는다면, 무엇 때문에 형향을 쓸까.

晨坐齋中偶而成咏

寒露潔秋空, 遙山紛在矚.
찬 이슬은 가을 하늘에 깨끗하고, 먼 산은 어지럽게 눈에 있더라.
孤頂乍修聳, 微雲復相續.
외로운 정수리는 잠깐 길게 솟았고, 가는 구름은 다시 서로 이었네.
人茲賞地偏, 鳥亦愛林旭.
사람이 이에 땅 한 쪽을 구경하니, 새도 숲의 해를 사랑하더라.
結念憑幽遠, 撫躬曷羈束.
생각이 맺어 깊고 멈에 의지하고, 몸을 어루만져 어찌 얽매이랴.
仰霄謝逸翰, 臨路嗟疲足.
하늘을 우러러보고 날개를 말하니, 길에 임하여 절뚝발이를 슬퍼하네.
徂歲方睽攜, 歸心亟躑躅.
가는 해는 바야흐로 괴리되고, 돌아갈 마음에 자주 배회하네.
休閑倘有素, 豈負南山曲.
쉬며 한가롭게 거닐어도 본디가 있으니, 어찌 남산의 곡을 저버리리.

西江夜行

遙夜人何在, 澄潭月裏行.
먼 밤에 사람은 어디에 있는고, 맑은 못에 달 속에 행하더라.
悠悠天宇曠, 切切故鄉情.

길고 긴 하늘은 비어 있고, 간절한 고향의 정이더라.

外物寂無擾, 中流澹自淸.

외물은 고요히 흔들림이 없으니, 중류에 맑고 절로 맑더라.

念歸林葉換, 愁坐露華生.

돌아갈 것을 생각하니 숲 잎이 바뀌었으니, 수심에 앉으니 이슬 꽃이 생기더라.

猶有汀洲鶴, 宵分乍一鳴.

오히려 물가에 학이 있어, 밤중에 잠깐 한번 울더라.

耒陽溪夜行

乘夕棹歸舟, 緣源路轉幽.

저녁을 타고 노를 저어 배로 돌아가니, 근원으로 인하여 길이 점점 깊더라.

月明看嶺樹, 風靜聽溪流.

달이 밝아 고개 나무가 보이고, 바람이 고요해 시내 흐름이 들리네.

嵐氣船間入, 霜華衣上浮.

노을 기운은 배 사이로 들어오고, 서리 발은 옷 위에 떴더라.

猿聲雖此夜, 不是別家愁.

원숭이 소리가 비록 이 밤에 우나, 이별한 수심은 아니더라.

候使登石頭驛樓作

山檻憑南望, 川途眇北流.

산 속 난간에 기대어 남쪽을 바라보니, 내 길이 멀리 북쪽으로 흐른다.

遠林天翠合, 前浦日華浮.

먼 숲은 하늘의 푸름과 합하고, 앞 개펄에는 햇빛이 떴다.

萬井緣津渚, 千艘咽渡頭.

만 거리는 나룻가로 이어졌고, 천 척 배가 나루터를 메웠다.

漁商多末事, 耕稼少良疇.

고기잡이와 상인은 잔일이 많고, 농사꾼은 양전이 적다.

登郡城南樓

雲霞千里開, 洲渚萬形出.

구름과 놀 천 리에 뻗어, 모래톱에서 온갖 모양이 나온다.

澹澹澄江漫, 飛飛渡鳥疾.

담담한 맑은 강은 느리고, 훨훨 날아 건너가는 새는 빠르다.

邑人半艫艦, 津樹多楓橘.

읍 사람 반은 배가 있고, 포구의 나무는 단풍과 귤이 많다.

九月九日登龍山

楚客凜秋時, 桓公舊臺上.
초의 나그네 싸늘한 가을에, 환공의 옛 대 위에서.
淸明風日好, 歷落江山望.
청명하게 날씨도 좋아, 여기저기 늘어선 강산을 바라본다.
極遠何蕭條, 中留坐惆悵.
아득히 먼 곳은 어찌나 쓸쓸한지, 가운데 머무르며 서글픔에 잠긴다.
東彌夏首闊, 西拒荊門壯.
동쪽은 널리 무성함이 덮었고, 서쪽은 견고한 형문이 막았다.
夷險雖移時, 古今豈殊狀.
평온함과 험난함이 시절이 다르지만, 고금이 어찌 형편이 다르랴.

湖口望廬山瀑布泉

萬丈紅泉落, 迢迢半紫氛.
떨어지는 만 길 붉은 폭포수, 반은 자색 기운 하늘에 걸려 있네.
奔飛流雜樹, 灑落出重雲.
온갖 잡목에 쏟아져 내리니, 시원한 물보라에 구름이 일어나네.
日照虹蜺似, 天淸風雨聞.
햇빛 비치어 무지개 같고, 맑은 하늘에 비바람 소리.
靈山多秀色, 空水共氤氳.

영산엔 절경이 많아, 하늘도 물도 온통 자욱한 기운.

南山下舊居閑放

淸光前山遠, 紛喧此地疏.
맑은 빛에 앞산이 멀고, 시끄러움이 이곳과는 멀다.
喬木凌靑靄, 修篁媚綠渠.
교목은 푸른 놀 위로 우뚝하고, 긴 대나무는 푸른 도랑에 곱다.

盧僎의 初出京邑有懷舊林

內傾水木趣, 築室依近山.

안으로 원림의 풍치에 기울어, 가까운 산 아래 집을 지었다.

晨趨天日晏, 夕臥江海閒.

새벽에는 맑은 해에 달려가고, 저녁에는 강해 사이에 눕는다.

松風生坐隅, 仙禽舞亭灣.

솔바람은 자리 모퉁이에서 일고, 두루미는 정자 굽이에서 춤춘다.

曙雲林下客, 霽月池上顏.

새벽 구름은 숲 아래 손님이요, 제월은 못 위의 얼굴.

雖曰坐郊園, 靜默非人寰.

성 밖 뜰에 앉아 있다 하나, 조용하고 잠잠하여 이 세상이 아닌 듯.

時步蒼龍闕, 寧異白雲關.

때로 창룡 궐을 거니노니, 어찌 백운관과 다르랴.

趙彥昭의 奉和聖制幸韋嗣立山莊應制

廊廟心存巖壑中, 鑾輿矚在灞城東.
묘당에서도 마음은 바위 골짜기에 있고, 난여에서 파성 동쪽을 주시한다.
逍遙自在蒙莊子, 漢主徒言河上公.
소요 자재한 몽장자인데, 한의 황제는 하상공만 말했다.

韋嗣立의
偶游龍門北溪忽懷驪山別業因以言志示弟淑奉呈諸大僚

幽谷杜陵邊, 風煙別幾年.

깊은 골짜기 두릉 가, 풍연과 이별한 지 몇 해이던가.

偶來伊水曲, 溪嶂覺依然.

우연히 이수 굽이에 와, 시내와 산봉우리가 의연함을 느낀다.

傍浦憐芳樹, 尋崖愛綠泉.

옆 포구의 花樹가 어여쁘고, 낭떠러지를 찾으면 푸른 샘이 좋다.

嶺雲隨馬足, 山鳥向人前.

고개 구름은 말 발을 따르고, 산새는 사람 따라 앞에 간다.

地合心俱靜, 言因理自玄.

땅은 마음에 맞아 함께 고요하고, 말은 이치에 맞아 절로 깊다.

孟浩然[36]의 澗南園卽事貽皎上人

敝廬在郭外, 素業唯田園.

나의 집은 동구 밖에 있고, 본래 하는 일은 다만 전원을 돌보는 일.

左右林野曠, 不聞城市喧.

집 양쪽으로 임야가 넓어, 도시의 소란함은 들리지 않네.

釣竿垂北澗, 樵唱入南軒.

북간에 낚싯대 늘여 놓으니, 나무꾼의 노래 소리 남쪽 창으로부터 들려오네.

登鹿門山懷古

昔聞龐德公, 采藥遂不返

듣자니 옛날에 방덕공은, 약초를 캐러가서 끝내 돌아오지 않았다지요.

紛吾感耆舊, 結纜事攀踐

나는 옛 노인에 대한 감회가 어지러워, 배를 잡아매고 나뭇가지를 당기며 걸어보았소.

隱迹今尚存, 高風邈已遠.

은적은 지금도 남아 있지만, 그 높은 풍격은 멀고멉니다.

探討意未窮, 回艫夕陽晚

---

36) (689~740). 襄州 襄陽(지금의 호남 양양현) 사람이다. 襄州 자사 겸 山南 東道采訪使 韓朝宗이 맹호연을 찾아 應制擧에 추천하였으나 맹호연은 친구와 실컷 술을 마시느라 가지 못하였다. 맹호연은 성세 은사의 전형이다.

방공의 은일했던 뜻을 알아보려 했지만 성취 못하고, 석양이 늦은 때라 배를 돌렸다오.

田園作

弊廬隔塵喧, 唯先養恬素.
나의 집은 시끌벅적한 세상과 떨어진 곳, 오직 선조 때부터 고요하고 질박한 것을 숭상했네.
卜隣近三徑, 植果盈千樹.
살기 좋은 곳 찾아 세 갈래 길을 만들고, 둘레에는 과수를 가득 심었다네.

洗然弟竹亭

吾與二三子, 平生結交深
나와 두세 아우들은, 평생 교분을 맺음이 깊어.
俱懷鴻鵠志, 共有鶺鴒心.
모두 큰기러기나 고니의 원대한 뜻을 품었고, 함께 할미새의 우애하는 마음을 가졌네.

晚春臥病寄張八

世途皆自媚, 流俗寡相知.
세상은 모두 스스로 아첨하고, 세속은 서로 아는 이가 드무네.
賈誼才空逸, 安仁鬢欲絲.
가의처럼 재주만 헛되이 뛰어나, 내 나이 서른둘이 되었구려.
遙情每東注, 奔晷復西馳.
멀리서 느끼는 정 매일 동쪽으로 기울고, 달아나는 해 그림자 다시 더 서쪽
으로 달리네.
常恐塡溝壑, 無由振羽儀.
늘 구학에 박힐 것이 두려워, 깃을 펼쳐 본 적 없네.
窮通若有命, 欲向論中推.
빈궁과 영달이 천명에 있을진대, 바램을 추론하랴.

送張子容進士赴擧

茂林予偃息, 喬木爾飛翻.
무성한 나무 밑에서 나는 누워 쉬고, 그대는 교목으로 날아오르네.
無使谷風誚, 須令友道存.
곡풍 시가 나무라지 못하게 하여, 모름지기 붕우도가 있게 하세.

重酬李少府見贈

養疾衡簷下, 由來浩氣眞
난간 처마 밑에서 요양하니, 원래의 호기가 순수하다.

回看後凋色, 靑翠有松筠.
돌아보니 뒤에 빛이 시드는, 푸르른 솔과 대가 있네.

仲夏歸漢南園寄京邑耆舊

嘗讀高士傳, 最嘉陶徵君.
일찍이 여러 고사의 전기를 읽어 보았더니, 그 가운데 도징군이 가장 좋습
니다.

日耽田園趣, 自謂羲皇人.
매일 전원의 홍취에 탐닉하여, 스스로 순수하고 고상하게 사는 사람이라 불
렀지요.

予復何爲者, 棲棲徒問津.
내 다시 무엇을 하리, 학문의 길만 바삐 헛되이 걸어왔으니.

中年廢丘壑, 上國旅風塵.
중년에 이르도록 은신처에 내던져 있다가, 경사로 가는 길 풍진 속을 다녔
지요.

忠欲事明主, 孝思事老親.
밝은 임금을 힘껏 섬기고 싶었고, 노친을 효도로 받들 생각 하였지요.

歸來當炎夏, 耕稼不及春.

돌아오니 염천 성하라, 밭갈이할 봄을 놓쳐.

局枕北窓下, 采芝南澗濱.

부채와 목침을 북창 아래 놓고, 남쪽 냇가에서 지초를 뜯지요.

因聲謝同列, 吾慕潁陽眞.

· 여러 조신들에게 말로써 감사하며, 저는 허유를 흠모한답니다.

與黃侍御北津泛舟

自顧躬耕者, 才非管樂儔.

몸소 밭가는 자를 스스로 돌아보매, 재주가 管仲 樂毅의 무리는 못되네.

聞君荐草澤, 從此泛滄洲.

듣자니 그대 초야의 선비를 천거하여, 여기로부터 滄浪洲로 배를 띄운다
지요.

山中逢道士雲公

春餘草木繁, 耕種滿田園.

늦봄 초목이 번성하니, 갈고 씨를 뿌려 전원이 가득하다.

酌酒聊自勸, 農夫安與言.

술을 부어 애오라지 스스로 권하고, 농부와 편안히 말을 나눈다.

忽聞荊山子, 時出桃花源

문득 들으니 형산자가 가끔 도화원에서 나와.

采樵過北谷, 賣藥來西村.

땔나무 하러 북쪽 골짜기를 지나고, 약초 팔러 서촌에 온다 한다.

村煙日雲夕, 榛路有歸客.

마을 연기에 해는 구름 속에 저물고, 덤불길에 돌아가는 나그네.

杖策前相逢, 依然是疇昔.

지팡이 앞에 상봉하니, 의연하여 어제 같다.

邂逅歡覯止, 殷勤敍離隔.

해후하여 만나봄을 기뻐하며, 은근히 격조했음을 말한다.

謂予搏扶桑, 輕擧振六翮.

내게 말하기를 부상을 치고, 가볍게 올라 두 날개를 펼칠 텐데.

奈何偶昌運, 獨見遺草澤.

어찌하여 성세를 만나서도, 홀로 초야에 버려졌는고.

旣笑接輿狂, 仍憐孔丘厄.

이윽고 楚狂 접여을 웃고, 이에 공자의 액운을 불쌍히 여긴다.

物情趨勢利, 吾道貴閑寂.

물정은 권세와 이끗을 따르고, 나의 도는 한적함을 귀히 여긴다.

偃息西山下, 門庭罕人迹.

서산 아래 누워 쉬니, 문정에는 인적이 드물다.

何時還淸溪, 從爾煉丹液.

언제 맑은 시내로 돌아가, 그대를 따라 仙丹을 구울까.

白雲先生王逈見訪

閑歸日無事, 雲臥晝不起.

한가로워 돌아간 날 아무 일도 없어, 구름 아래 누워서 낮에도 일어나지 않
았지.

有客款柴扉, 自云巢居子.

손님이 있는데도 사립문을 닫았는데, 스스로 소부라 하네.

居閑好芝朮, 采藥來城市.

삶이 한가롭고 약초를 좋아하여, 약초를 캐 저자로 왔네.

家在鹿門山, 常游澗澤水.

집은 녹문산에 있어, 늘 북간 물가에서 노니네.

手持白羽扇, 脚步青芒履.

손에 백우선을 쥐고, 발에는 푸른 짚신을 신고 다니네.

聞道鶴書徵, 臨流還洗耳.

듣자니 임금이 왕형 선생을 부르는 징벽이 있었는데, 흐르는 물에 더러운
소리를 들은 귀를 씻었다네.

采樵作

采樵入深山, 山深樹重疊.

땔나무 하러 심산에 드니, 산이 깊어 나무는 첩첩.

橋崩臥槎擁, 路險垂藤接.

다리는 무너져 내려앉아 떼가 막혔고, 길이 험해 드리운 등줄기가 맞닿았다.

日落伴將稀, 山風拂蘿衣.

해 떨어져 동무는 드물어지고, 산바람은 薜蘿를 날린다.

長歌負輕策, 平野望煙歸.

늘여 빼 노래하며 가벼운 땔나무를 지고, 들에서 연기를 바라보며 돌아온다.

庭橘

明發覽群物, 萬木何陰森.

새벽에 만물을 보니, 많은 나무가 어찌나 우거져 어둠침침한지.

凝霜漸漸水, 庭橘似懸金.

서리는 엉겨 물방울 져 떨어지고, 뜰 귤은 금을 매달아 놓은 듯.

女伴爭攀摘, 摘窺礙葉深.

여인들은 다투어 당겨 따는데, 따려는 눈길을 막는 잎이 깊다.

並生憐共蔕, 相示感同心.

나란히 나 같은 꼭지를 가련해 하니, 서로 보아 같은 마음을 느낀다.

骨刺紅羅被, 香黏翠羽簪.

가지는 붉은 깁옷을 찌르고, 향기는 푸른 깃 비녀에 붙는다.

擎來玉盤裏, 全勝在幽林.

옥반 속에 담겨 오면, 온전한 승경이 깊은 숲에 있다.

望洞庭湖贈張丞相

欲濟無舟楫, 端居恥聖明.

건너고 싶어도 배에 노가 없고, 평소 성취한 바 없어 성군에 부끄러울 뿐.

坐觀垂釣者, 徒有羨魚情.

앉아서 낚시질하는 사람을 바라보다가, 공연히 물고기를 탐내는 마음이 생기네.

舟中曉望

挂席東南望, 靑山水國遙.

돛을 달고 동남쪽을 바라보니, 푸른 산 물 나라가 아득하구나.

舳艫爭利涉, 來往接風潮.

뱃길이라 잘 건너기를 다투는 마음, 바람과 조수에 오가기 맡겨두네.

問我今何去, 天台訪石橋.

묻노니 우리 지금 어디로 가는가, 천태산의 돌다리를 찾는 길이오.

坐看霞色曉, 疑是赤城標.

앉아서 놀 빛 새벽 바라보나니, 저것이 바로 적성표가 아닌가.

早寒江上有懷

木落雁南度, 北風江上寒
나뭇잎 떨어지고 기러기 남쪽으로 날아, 북풍에 강 위가 춥다.
我家襄水上, 遙隔楚雲端
나의 집은 양수 가에 있어, 멀리 초의 구름 끝과 마주 하였네.
鄕淚客中盡, 孤帆天際看.
고향 눈물은 객중에 말라버렸고, 외로운 배돛만이 하늘가에 보인다.
迷津欲有問, 平海夕漫漫
포구를 잃어버려 물어보고 싶은데, 아득한 바다엔 석양만 가득.

宴包二融宅

閒居枕淸洛, 左右接大野.
맑은 낙수 가에 한거하니, 좌우로 넓은 들을 접했다.
門庭無雜賓, 車轍多長者.
문정에는 잡객이 없고, 찾아오는 장자가 많다.
是時方盛夏, 風物自瀟麗
이때가 바야흐로 성하라, 풍물이 절로 소쇄하다.
五日休沐歸, 相携竹林下.
5일 만에 휴목하고 돌아와, 서로 죽림 아래로 이끈다.
開襟成歡趣, 對酒不能罷.

흉금을 열고 즐기며, 술을 대해 파하지 못한다.

煙暝棲鳥迷, 余將歸白社.

어두운 연기에 깃들이는 새가 희미하니, 나는 백사로 돌아가련다.

李氏園臥疾

伏枕嗟公幹, 歸田羨子平.

베개에 엎드려 劉楨을 탄식하고, 전원으로 돌아가 向長을 부러워한다.

年年白社客, 空滯洛陽城.

해마다 백사의 나그네가, 공연히 낙양성에 머무른다.

夜渡湘水

客舟貪利涉, 闇裏渡湘川.

나그네 배가 편히 건너고 싶어, 어둠 속에 상수를 건넌다.

露氣聞芳杜, 歌聲識采蓮.

이슬 기운에 두약 향기를 맡고, 노래 소리로 연밥 따는 것을 안다.

榜人投岸火, 漁子宿潭煙.

사공은 연안에 불을 지피고, 어부들은 물안개 낀 연못에서 묵네.

行侶時相問, 潯陽何處邊?

길동무가 때로 서로 묻기를, 심양은 어디쯤에 있는지요?

宿桐廬江寄廣陵舊游

山暝聞猿愁, 滄江急夜流.
어두운 산 원숭이 소리 들려 수심 일고, 푸른 강물은 밤에 급하게 솟구친다.
風鳴兩岸葉, 月照一孤舟.
바람은 양안의 나뭇잎을 울리고, 달은 나의 외로운 배를 비춘다.
建德非吾土, 維揚憶舊游.
건덕은 나의 고향이 아니라, 나의 마음속엔 오직 양주 옛 친구 생각.
還將兩行淚, 遙寄海西頭.
두 줄기 눈물을, 멀리 강 서쪽 머리 친구에게 부친다.

揚子津望渡口

北固臨京口, 夷山近海濱.
북고산은 경구를 굽어보고, 이산은 바닷가에 가깝다.
江風白浪起, 愁殺渡頭人.
강바람에 흰 물결 일어, 나루의 나를 애태운다.

永嘉上浦館逢張八子容

逆旅相逢處, 江村日暮時.

상봉한 곳 타향 여관, 강 마을 해 떨어질 때.

衆山遙對酒, 孤嶼共題詩.

뭇 산에 둘러싸인 외로운 섬에서 술을 마시며 같은 시제로 시를 짓는다.

廨宇隣鮫室, 人煙接島夷.

관사가 어부의 집에 이웃해 있어, 인가의 연기가 섬을 덮는다.

鄕關萬餘里, 失路一相悲.

향리는 만여리나 떨어져 있어, 길잃은 이들이 서로 함께 슬퍼한다.

下贛石

瀧石三百里, 沿洄千嶂間.

공석 삼 백리, 물결은 뾰족한 천여 병풍 봉우리 사이마다 따라 흐르리.

沸聲常活活, 洊歲亦潺潺.

물보라 튀는 소리 늘 콸콸하고, 거듭 오르는 물의 힘 역시 콸콸하다.

跳沫魚龍沸, 垂藤猿狖攀.

어룡이 튀어 오르는 물방울을 타고 오르고, 내리 뻗은 등 넝쿨에 검은 원숭이 매달린다.

榜人苦奔峭, 而我忘險艱.

옆 사람은 가파른 언덕에 고통스러워하지만, 나는 험난함을 모르겠다.

放溜情彌愜, 登艫目自閑.

급류를 타고 미끄러지니 그 정감 통쾌하고, 뱃머리에 올라 보니 절로 한가롭다.

暝帆何處宿, 遙指落星灣.

어두워지는데 돛을 어느 곳에 정박할까, 멀리 낙성호가 굽어보인다.

入峽寄弟

吾昔與爾輩, 讀書常閉門.

나는 너와 형제간으로, 문을 걸어 잠그고 늘 독서를 했었지.

未嘗冒湍險, 豈顧垂堂言.

아직 급류를 모험하지 않았는데, 어찌 두려워하랴.

彭蠡湖中望廬山

太虛生月暈, 舟子知天風.

텅 빈 하늘에 달무리 일어, 사공은 천풍을 안다.

掛席候明發, 渺漫平湖中.

돛을 달고 날이 밝기를 기다리니, 아득하게 트인 평평한 호수 가운데.

中流見匡阜, 勢壓九江雄.

가운데로 흘러가 보니 큰 둔덕이 보이는데, 그 위세 구강의 웅장함을 누른다.

黯黮凝黔色, 崢嶸當曙空.

검푸르던 것이 엉켜 개이니, 새벽하늘에 높고 험준한 산이 드러난다.

香爐初上日, 瀑布噴成虹.

향로봉에 해가 떠오르자, 폭포는 뿌리어 무지개를 이룬다.

久欲追尙子, 況茲懷遠公.

스님을 오랫동안 따르고 싶었는데, 하물며 이곳에 있었던 원공을 생각하지 않을소냐.

我來限于役, 未暇息微躬.

나는 행역에 유한하여, 아직껏 이 몸은 잠시도 못 쉬었소.

淮海途將半, 星霜歲欲窮.

회수로 가는 여정의 절반이니, 세월이 다 흘러가야 할 판이구려.

寄言巖棲者, 畢趣當來同.

산 속에 파묻혀 사는 이에게, 결국은 돌아와 함께 있겠다고 말해 주오.

早發漁浦潭

東旭早光芒, 渚禽已驚聒.

동녘에 해 일찍 비추니, 물새들은 이미 놀라 깨어 지저귀네.

臥聞漁浦口, 橈聲暗相撥.

드러누워 포구 소리 들어보니, 노를 가만가만 뒤집는 소리뿐.

日出氣象分, 始知江湖闊.

해가 돋아나 기상이 드러나서야, 비로소 물길이 넓음을 알았네.

望洞庭湖贈張丞相

八月湖水平, 涵虛渾太淸.
팔월의 호수는 잔잔하기도 하고, 호수에 하늘 잠겨 더욱 맑아라.
氣蒸雲夢澤, 波撼岳陽城.
운몽택엔 물안개 자욱하고, 파도는 악양성을 뒤흔드네.

與顔錢塘登樟亭望潮作

百里聞雷震, 鳴弦暫輟彈.
백 리까지 파도 소리 들려와, 할 일을 멈추고 물 구경 간다.
府中連騎出, 江上待潮觀.
부중에서 줄지어 말 타고 나와, 강 위에서 물 구경하려고 기다리네.
照日秋雲逈, 浮天渤解寬.
햇빛은 구름에 반사되고 파도는 구름처럼 밀려들어, 하늘에 치솟아 바다를 이룬다.
驚濤來似雪, 一坐凜生寒.
파도에 놀라 바라보니 눈인가 착각 되고, 앉으니 오싹 한기가 드네.

晚泊潯陽望香爐峰

掛席幾千里, 名山都未逢.
바람결에 수천리 지나며, 명산은 아직 마주 대해 보지 못했는데.
泊舟潯陽郭, 始見香爐峰.
배를 심양 외곽에 정박하고, 처음으로 향로봉을 바라보네.
嘗讀遠公傳, 永懷塵外踪.
일찍이 원공전을 읽고서, 오래도록 인간 밖의 행적을 마음 속에 품었더니.
東林精舍近, 日暮但聞鐘.
동림정사 근처라서, 날 저물어 종소리 들리네.

秋登蘭山寄張五

北山白雲裏, 隱者自怡悅.
북산의 흰구름 속에, 숨어 사는 이 저 혼자 즐거우리.
相望試登高, 心隨雁飛滅.
그대 생각하며 난산에 오르나니, 마음은 기러기를 따라 그리로 날아가네.
愁因薄暮起, 興是清秋發.
해질녘이라 시름은 따라 일고, 맑은 가을이라 흥취 바로 생기네.
時見歸村人, 平沙渡頭歇.
때때로 마을로 돌아가는 사람들, 모래밭을 걸어가다 나루터에서 쉬네.
天邊樹若薺, 江畔舟如月.

하늘끝의 나무들은 냉이와 같고, 강가의 배는 반달과 같네.

何當載酒來, 共醉重陽節.

언제나 우리 술을 가지고 와서, 이 중양절에 함께 취해볼까?

宿建德江

移舟泊煙渚, 日暮客愁新.

배를 저어다 물안개 자욱한 물가에 대니, 날은 저물어 나그네 시름이 새롭네.

野曠天低樹, 江淸月近人.

드넓은 벌판에 하늘은 나무 끝에 나직한데, 강물 맑아 그 속에 비친 달 더욱 가까워라.

北澗泛舟

北澗流恒滿, 浮舟觸處通.

북간은 늘 물이 꽉 차 흐르는 지라, 배를 띄워 어느 곳이나 마음대로 갈 수 있네.

沿洄自有趣, 何必五湖中.

물길을 오르내리는 중에 절로 재미가 있으니, 오호 안으로 갈 필요 있으랴.

還山貽湛法師

幼聞無生理, 常欲觀此身.

어려서 무생의 교리를 들었고, 늘 이 한 몸의 덕을 닦음을 관찰하고 싶었네.

心迹罕兼遂, 崎嶇多在塵.

마음의 현상이 소원대로 되지 못하여, 기구하게 대부분 진세에 있었다네.

晚途歸舊壑, 偶與支公隣.

만년에 옛 산골짜기로 돌아와, 옛 지공처럼 훌륭한 담 법사와 이웃하여 함께 지내네.

導以微妙法, 結爲淸淨因.

미묘한 법으로 인도하여, 청정을 인연으로 맺었다네.

煩惱業頓舍, 山林情轉殷.

번뇌의 업으로 돈과를 버리고, 산림을 생각하는 정으로 은근히 바뀌었네,

題終南翠微寺空上人房

遂造幽人室, 始知靜者妙.

마침내 유인의 집에 와, 비로소 고요함의 묘를 알았다.

儒道雖異門, 雲林頗同調.

유가와 도가는 비록 이문이지만, 구름과 숲은 자못 동조를 이룬다.

來闍黎新亭作

棄象玄應悟, 忘言理必該.
형상을 버리면 현묘를 응당 깨달을 것이고, 말을 잊으면 이치를 꼭 알게
된다.
靜中何所得, 吟咏也徒哉.
고요한 가운데 무엇이 얻어지는가? 음영도 속절없구나.

題大禹寺義公禪房

義公習禪處, 結構依空林
의공이 선을 익히는 곳, 빈숲을 의지해 집을 지었다.
戶外一峰秀. 階前群壑深.
문 밖에는 외봉우리 빼어났고, 섬돌 앞 뭇 골짜기는 깊숙하네.
夕陽連雨足, 空翠落庭陰.
석양에 많은 비가 계속 내리다, 푸른 초목은 뜰에 그늘을 드리운다.
看取蓮花淨, 方知不染心.
연꽃의 깨끗함을 보고서야, 물들지 않는 마음 비로소 알겠네.

尋香山湛上人

朝遊訪名山, 山遠在空翠.
아침에 놀러 명산을 찾으니, 산은 멀리 푸른 하늘에 있다.
氛氳亘百里, 日入行始至.
따뜻한 기운 백리에 뻗쳐, 해 떨어져서야 이르렀네.
杖策尋故人, 解鞭暫停騎.
지팡이 짚고 친구를 찾아, 채찍 풀고 잠깐 말을 멈춘다.
石門殊豁險, 篁逕轉森邃.
석문산은 유달리 넓고 험해, 대나무 길이 점점 빽빽하고 깊네.
法侶欣相逢, 淸談曉不寐.
스님과 기쁘게 상봉하여, 청담함에 새벽까지 잠 못 이룬다.
平生慕眞隱, 累日探奇異.
평생 참 은사를 사모하여, 여러 날 기이함을 찾네.
野老朝入田, 山僧暮歸寺.
늙은 농부는 아침에 밭으로 들어가고, 산승은 저녁에 절로 돌아간다.
松泉多逸響, 苔壁饒古意.
솔과 샘은 빼어난 소리가 많고, 이끼 벽엔 옛 맛이 가득하네.
谷口聞鐘聲, 林端識香氣.
골짜기 입구에 종소리가 들려, 숲 끝의 향기를 느낀다.
願言投此山, 身世兩相棄.
원컨대 이 산에 들어와, 몸과 세상 둘이 서로 버렸으면.

夜歸鹿門歌

山寺鳴鐘晝已昏, 漁梁渡頭爭渡喧.
산사의 종소리에 날은 이미 저물어, 어량 나루 머리엔 다투어 물 건너려고
떠들썩하네.
人隨沙岸向江村, 余亦乘舟歸鹿門.
사람들이 모래 언덕을 따라 강촌으로 향하니, 나도 배에 올라 녹문산으로
돌아가네.
鹿門月照開煙樹, 忽到龐公棲隱處.
녹문산의 달은 물안개 어린 나무를 비추고, 문득 방덕공이 은거하던 곳에
이르렀네.
巖扉松徑長寂寥, 唯有幽人自來去.
바위굴의 돌문과 소나무 길은 오래도록 적막하여, 오직 은거하는 사람만이
이곳을 드나들 뿐.

宿業師山房期丁大不至

夕陽度西嶺, 群壑倏已暝.
석양이 서산으로 넘어가자, 골짜기마다 곧이어 어두워지네.
松月生夜凉, 風泉滿淸聽.
소나무 사이 달빛에 밤의 서늘함이 일고, 바람 스친 샘물은 맑은 소리 가득
하네.

樵人歸欲盡, 煙鳥棲初定.

나무꾼들은 이제 돌아가려 하는데, 저녁노을 새들은 보금자리를 찾아 드네.

之子期宿來, 孤琴候蘿徑.

그대 오늘 온다고 약속했거니, 나는 거문고 안고 담쟁이 넝쿨 뒤덮인 길에서 기다리네.

夏日南亭懷辛大

山光忽西落, 池月漸東上.

서산에 해가 문득 떨어지니, 동쪽 연못에 달이 점점 떠오른다.

散髮乘夕涼, 開軒臥閑敞.

흐트러진 머리카락 저녁 찬 바람에 나부끼며, 들창 열어젖히고 한가로이 누웠네.

荷風送香氣, 竹露滴淸響.

연꽃에 이는 바람 향기를 내뿜고, 댓잎 적시는 이슬 맑은 소리를 낸다.

欲取鳴琴彈, 恨無知音賞.

거문고를 가져다 타고 싶지만, 들어줄 지음 없음이 한스럽네.

感此懷故人, 中宵勞夢想.

이러니 친구 생각에, 밤 깊도록 몽상에 힘겨워 한다.

游精思觀回王白雲在後

出谷未停午, 到家日已曛.
골짜기를 나올 때는 아직 한낮이 안 되었는데, 집에 도착하니 이미 어둑어둑해졌네.
回瞻下山路, 但見牛羊群.
하산 길에 뒤돌아보니, 소와 양떼만 보일 뿐.
樵子暗相失, 草蟲寒不聞.
나무꾼들은 어두워져 서로 흩어졌고, 날씨가 추워 풀벌레 소리 들리지 않네.
衡門猶未掩, 佇立待夫君.
사립문 아직 닫지 않고, 우두커니 서서 그대 오기를 기다리네.

過故人莊

故人具鷄黍, 邀我至田家.
친구가 닭 잡고 기장밥 지어, 나를 농막으로 초대했네.
綠樹村邊合, 靑山郭外斜.
푸른 나무는 마을 주위를 둘러싸고, 청산은 동구 밖으로 비껴 있다.
開軒面場圃, 把酒話桑麻.
들창을 열고 채소밭을 바라보며, 술잔을 들고 누에치기와 삼 농사 이야기하네.
待到重陽日, 還來就菊花.

205

중앙절이 돌아오면, 다시 와서 국화를 맞으리.

東陂遇雨率爾貽謝南池

田家春事起, 丁壯就東陂.
농가에 봄철 농사가 시작되니, 농부들은 동쪽 언덕으로 나가네.
殷殷雷聲作, 森森雨足垂.
천둥소리 은은히 들리고, 번창한 수목에 비 흡족히 내렸네.
海虹晴始見, 河柳潤初移.
날씨 개이니 무지개 보이고, 냇가 버들은 파릇파릇 움트네.
予意在耕鑿, 因君問土宜.
나는 밭갈이 하고자, 그대에게 무엇을 심으면 좋을까 묻네.

尋菊花潭主人不遇

行至菊花潭, 村西日已斜.
국화담에 이르니, 마을 서편에 해는 이미 기울었다.
主人登高去, 鷄犬空在家.
주인은 등고하러 가고, 개와 닭만 빈 집을 지키네.

春曉

春眠不覺曉, 處處聞啼鳥.
봄잠에 날 밝은 줄 몰랐는데, 곳곳에서 새 지저귀는 소리 들리네.
夜來風雨聲, 花落知多少?
어젯밤 비바람 소리 들렸는데, 꽃잎은 얼마나 떨어졌을까?

裴迪 輞口遇雨憶終南山因獻絶句

積雨晦空曲, 平沙滅浮彩.
장맛비에 온 하늘 어두컴컴하고, 펼쳐진 사막에는 하늘의 광채 사라졌네.
輞水去悠悠, 南山復何在
망수는 유유히 흐르는데, 남산은 또 어디에 있을까.

王維37)의 答裵迪詩

淼淼寒流廣, 蒼蒼積雨晦.

찬 물은 끝없이 넓고, 장맛비는 창창히 어두운데.

君問終南山, 心知白雲外.

그대 종남산을 물으니, 마음으로 백운 밖을 안다.

送綦毋潛落第還鄕

聖代無隱者, 英靈盡來歸.

성대에는 은자가 없어, 뛰어난 사람은 모두 다 모이네.

遂令東山客, 不得顧采薇

---

37) (701~761). 자는 摩詰, 太原 祁(지금의 산서 기현) 사람이다. 고조, 증조,
   조부 3대가 司馬 벼슬을 하였다. 동생 王縉이 代宗 때 재상까지 지냈다.
   왕유는 여러 가지 재능을 겸비하고 있었는데 시뿐만 아니라 미술, 음악,
   서법에 깊은 조예를 갖고 있었다.
   721년, 진사에 합격하여 大樂丞이 되었다. 734년, 장구령이 재상이 되어 왕
   유를 右拾遺로 발탁하였다. 742년, 左補闕 752년, 文部郎中 755년, 給事中
   으로 옮겼다.
   안사의 난 중에 왕유는 반란군에게 포로가 되었다. 그는 약을 먹고 벙어리
   로 가장하여 낙양에 압송되었다. 안사의 난이 평정된 후 동생 王縉이 내란
   평정에 공이 있어 형을 속죄하고 벼슬을 조금 낮출 것을 청하여 왕유는
   太子中允으로 강직되었다가 나중에 給事中으로 임명되었고, 759년에는 尙
   書右丞이 되었다. 왕유는 반란군의 포로가 된 것에 마음속으로 심한 가책
   을 받아 더욱 소침해져 이전처럼 산수를 음영하지 않고 집에서 선을 외우
   는 것으로 일을 삼다가 61세에 죽었다.

마침내 동산에 사는 그대마저도, 고사리 캐며 살지 못하게 했네.

偶然作 1

五帝與三王, 古來稱天子.
오제와 삼왕은, 고래로 천자라 불린다.
干戈將揖讓, 畢竟何者是.
간과와 읍양, 결국에는 무엇이 옳을까?
得意苟爲樂, 野田安足鄙.
득의가 참으로 즐거운 것, 들에서 편안히 두메에 만족한다.

2

趙女彈空篌, 復能邯鄲舞.
조의 여인 공후를 타고, 또 한단 춤에도 능하다.
夫婿輕薄兒, 鬪鷄事齊主.
남편은 경박한 아이, 투계로 제의 임금을 섬기지요.
黃金買歌笑, 用錢不復數.
황금으로 노래와 웃음을 사, 쓴 돈 셈할 수도 없답니다.
許史相經過, 高門盈四牡.
권문세족과 서로 알고 지내고, 고문에 패거리가 가득한데.

客舍有儒生, 昻藏出鄒魯.

객사에 유생이 있으니, 허우대는 멀쩡한 추로 출신.

讀書三十年, 腰下無尺組

독서 삼십년에, 벼슬 한 자리 못하고.

被服聖人敎, 一生自窮苦.

성인의 가르침을 실천하느라, 일생 스스로 궁고하다 하네.

4

陶潛任天眞, 其性頗耽酒.

도잠은 꾸밈없이 천진하여, 그 성품이 자못 술을 탐닉하였다.

自從棄官來, 家貧不能有.

벼슬을 버리고 온 뒤로는, 집이 가난하여 넉넉하지 못했다.

九月九日時, 菊花空滿手.

구월 구일 날은, 국화만 괜히 손에 가득하네.

中心竊自思, 儻有人送否.

마음속으로 가만히 혼자 생각, 혹시 누가 선물을 보내 주지 않을까.

白衣携壺觴, 果來遺老曳

포의가 술병을 들고, 정말 와서 늙은이에게 주네.

且喜得甚酹, 安問升與斗.

그건 그렇다 치고 술을 따르게 되었으니, 어찌 되인지 말인지 물어 보랴.

奮衣野田中, 今日嗟無負.

들에 옷을 날리며, 오늘은 기대에 어긋나지 않았다고 감탄하네.

兀傲迷東西, 蓑笠不能守.

올연히 오만하게 동서로 왔다 갔다 하며, 사립을 감장하지 못하네.

傾倒强行行, 酣歌歸五柳.

비틀거리면서도 억지로 걷고 걸으며, 거나해져 노래 부르며 오류 집으로 돌아오네.

生事不曾問, 肯愧家中婦.

생계를 물어 보지도 않는데, 집의 아내에게 부끄러워하랴.

獻始興公

寧棲野樹林, 寧飮澗水流

차라리 들 수림에 깃들이고, 차라리 흐르는 개울물을 마실지언정.

不用食粱肉, 崎嶇見王侯.

쌀밥에 고기반찬 먹으려고, 기구하게 왕후를 뵐 것 없다오.

鄙哉匹夫節, 布褐將白頭.

촌스러운 필부의 절개로, 거친 베옷 입고 백발을 맞으리다.

任智誠則短, 守仁固其優

지혜롭게 살아가는 데는 참으로 모자라도, 굳게 절조를 지키는 데는 조금 낫겠지요

寄荊州張丞相

所思竟何在? 悵望深荊門.

그리운 임 마침내 어디에 계십니까? 시름없이 깊은 형문산을 바라다봅니다.

擧世無相識, 終身思舊恩.

온 세상에 알아주는 이 없으니, 종신토록 옛 은혜를 생각하리다.

方將與農圃, 藝植老丘園.

막 농포에 뛰어들어, 남새 심으며 구원에서 늙어가려 합니다.

目盡南飛雁, 何由寄一言.

남쪽으로 날아가는 기러기를 아득히 바라보지만, 어떻게 한 마디라도 부치오리까.

送綦毋校書棄官還江東

微物縱可采, 其誰爲至公.

미물이 설령 채용될 수 있다 해도, 누가 그렇게 공정하게 하겠는가.

余亦從此去, 歸耕爲老農.

나도 여기에서 떠나, 돌아가 밭 갈며 늙은 농부가 되리라.

奉寄韋太守陟

臨此歲方晏, 顧景咏悲翁.

이 한 해 바야흐로 저물어 가는 때를 맞아, 경치 돌아보며 思悲翁을 읊조린다.

故人不可見, 寂寞平林東.

고인을 만나 볼 수 없는데, 적막한 들 숲은 동쪽으로 뻗었다.

同崔傳答賢弟

洛陽才子姑蘇客, 桂苑殊非故鄕陌.

낙양 재자 고소의 나그네 되니, 계수나무 동산은 유달리 고향 언덕과 다르다.

九江楓樹幾回靑, 一片揚州五湖白.

구강의 단풍나무 몇 번이나 푸르렀는고, 한 조각 양주가 오호에 밝다.

揚州時有下江兵, 蘭陵鎭前吹笛聲.

양주에는 때로 강을 내려오는 군대가 있어, 난릉진 앞 피리 부는 소리.

夜火人歸富春郭, 秋風鶴唳石頭城.

횃불에 사람들은 부춘 외성으로 돌아가고, 추풍에 학은 석두성에서 운다.

周郞陸弟爲儔侶, 對舞前溪歌白紵.

周瑜와 陸機가 동무가 되어, 짝 지어 전계무를 춤추고 백저가를 부른다.

曲几書留小史家, 草堂棋賭山陰墅.

다리 굽은 책상의 글 아전의 집에 남기고, 초당에서 바둑 두는 산음 별장.

213

衣冠若話外臺臣, 先數夫君席上珍.

의관이 御史臺 신하를 이야기하는 듯하여, 먼저 친구 자리 위의 보배를 세어 본다.

更聞臺閣求三語, 遙想風流第一人.

다시 대각에서 의미 깊은 말을 구한다는 말을 듣고, 멀리 풍류 제일인을 생각한다.

桃源行

漁舟逐水愛山春, 兩岸桃花夾去津.

고깃배가 물길 쫓아 봄 산을 찾아가니, 양안 복사꽃은 오가는 나루를 끼고 있다.

坐看紅樹不知遠, 行盡靑溪不見人.

앉아서 붉은 나무를 바라보며 길 먼 줄 모르고, 푸른 냇물을 다 지나도록 사람이 보이지 않는다.

山口潛行始隈隩, 山開曠望旋平陸.

굽이굽이 그윽한 산 어귀로 가만히 들어가니, 산이 열리고 시야가 확 트이며 평야가 나타난다.

遙看一處攢雲樹, 近入千家散花竹.

멀리 나무에 뭉게구름 걸린 곳 보여, 다가가니 꽃과 대나무 속에 많은 집이 흩어 있다.

樵客初傳漢姓名, 居人未改秦衣服.

나무꾼은 처음으로 한의 성명을 알리는데, 거민들은 아직도 진의 의복을 바꾸지 않았네.

居人共住武陵源, 還從物外起田園.

주민들은 무릉원에 함께 살면서, 다시 세상 밖에 전원을 일으켰도다.

月明松下房櫳靜, 日出雲中鷄犬喧.

달 밝은 밤 소나무 아래 집들은 고요하고, 해 뜨는 구름 속에 닭 울고 개 짖는 소리 떠들썩하다.

驚聞俗客爭來集, 競引還家問都邑.

속세의 나그네가 왔다는 소식에 놀라 모여들어, 다투어 집으로 데리고 가 도읍 소식 묻는다.

平明閭巷掃花開, 薄暮漁樵乘水入.

마을의 새벽은 꽃을 쓸며 열리고, 저녁에는 나무꾼과 어부들이 물길 따라 돌아온다.

初因避地去人間, 及至成仙遂不還.

당초에는 난리 피해 인간 세상을 떠났는데, 仙境을 이루게 되어선 끝내 돌아가지 않았도다.

峽裏誰知有人事, 世中遙望空雲山.

누가 알랴 이 골짜기에 사람의 일이 있는 줄을, 세상에서 멀리 바라보면 구름 속의 빈산일 뿐.

不疑靈境難聞見, 塵心未盡思鄕縣.

신선의 세계란 보고 듣기 어려움을 알지만, 속세의 정을 다 끊지 못해 고향 고을을 그리워한다.

出洞無論隔山水, 辭家終擬長游衍.

골짜기를 나서면서 산수와 거리를 따져보지 않았지만, 집을 떠나온 후 오랫동안 노닌 듯하구나.

自謂經過舊不迷, 安知峰壑今來變.

겪은 옛 일 헷갈리지 않는다고 스스로 말하지만, 지금은 변해버린 봉우리와 골짜기를 어찌 알랴.

當時只記入山深, 靑溪幾曲到雲林.

당시 산에 깊이 들어간 것만 기억이 나는데, 푸른 시내를 몇 굽이 돌아 구름숲에 이르렀지.

春來遍是桃花水, 不辨仙源何處尋.

봄이 오면 물 위엔 온통 복사꽃, 선원을 구별할 수 없으니 어디 가서 찾을꼬.

晦日游大理韋卿城南別業詩　2

仁里靄川陽, 平原見峰首.

인심 좋은 마을 시내 남쪽에 노을 지고, 평원이 산봉우리를 마주한다.

園廬鳴春鳩, 林薄媚新柳.

전원 집에 봄 비둘기 울고, 수풀에 새 버들이 곱다.

4

高館臨澄陂, 曠望蕩心目.

높은 관사가 맑은 못에 임해, 넓은 조망이 심목을 씻어 낸다.

澹蕩動雲天, 玲瓏映墟曲.

태탕하게 구름 낀 하늘을 움직이고, 영롱히 촌락을 비춘다.

同盧拾遺韋給事東山別業二十韻

巖端回綺檻, 登口開朱門.
바위 끝에 화려한 난간이 돌고, 오르는 어귀에 주문이 열렸다.
階下群峰青, 雲中瀑水源.
계하엔 푸른 군봉, 구름 속엔 폭포 수원.
鳴玉滿春山, 列筵先朝暾.
佩玉 소리 봄 산에 가득하여, 아침 해보다 먼저 자리를 연다.

藍田山石門精舍

落日山水好, 漾舟信歸風.
해질 녘의 산수가 좋아, 배를 띄워 돌아가는 바람에 맡겨 두고.
玩奇不覺遠, 因以緣源窮.
기이한 경치 구경에 먼 줄 모르고, 이를 따라 수원 끝까지 가려 한다.
遙愛雲木秀, 初疑路不同.
멀리 아름다운 구름과 나무에 빠져, 처음엔 길이 다른가 하고 의심도 했지만.
安知清流轉, 偶與前山通.

어찌 알았으랴 맑은 물길 돌아서 바로 앞산으로 통할 줄을.

舍舟理輕策, 果然愜所適.

배에서 내려 가벼운 채찍을 드니, 과연 가는 곳마다 마음에 드는데.

老僧四五人, 逍遙蔭松柏.

노승 너댓 분이 송백 그늘을 거닐고 있다.

朝梵林未曙, 夜禪山更寂.

아침 예불에 숲은 아직 밝지 않고, 밤의 참선에 산은 더욱 고요한 가운데.

道心及牧童, 世事問樵客.

도의 마음은 목동에게도 미쳐, 세상일은 나무꾼에게 물어본다.

暝宿長林下, 焚香臥瑤席.

어두워 깊은 숲속에서 자려고, 향을 사르고 깨끗한 자리에 누우니.

澗芳襲人衣, 山月映石壁.

물가의 꽃향기는 옷깃에 스며들고, 산의 달은 석벽을 환히 비춘다.

再尋畏迷誤, 明發更登歷.

다시 찾을 때 헤맬까 염려되니, 내일 출발할 때 두루 돌아보아야지.

笑謝桃源人, 花紅復來覿.

도원 사람들에게 웃으며 작별하노니, 꽃 피면 다시 찾아뵈오리다.

靑溪

言入黃花川, 每逐靑溪水.

저 황화천으로 들어갈 양이면, 늘 청계의 물을 따라서 가는데.

隨山將萬轉, 趣途無百里.

산을 따라가면 굽이돌지만, 바른 길로는 백리가 못 되지.

聲喧亂石中, 色靜深松裏.

소리는 어지러운 돌 새로 시끄럽고, 빛은 깊은 소나무 숲 속에 고요한데.

漾漾汎菱荇, 澄澄映葭葦.

출렁이는 물결 위엔 마름과 노랑어리연꽃 떠 있고, 맑고 맑은 물에는 갈대 비추인다.

我心素以閒, 淸川澹如此.

내 마음 본디 한가롭고, 청천은 이렇듯이 맑으니.

請留磐石上, 垂釣將已矣.

청컨대 이 너럭바위 위에 머물러, 낚싯대 드리우고 한 생을 마칠거나.

登河北城樓作

井邑傅巖上, 客亭雲霧間.

시정의 은둔처 위, 운무 사이의 객사.

高城眺落日, 極浦映蒼山.

높은 성에서 낙일을 바라보니, 까마득한 물가에 푸른 산이 비춘다.

岸火孤舟宿, 漁家夕鳥還.

언덕에 불 피워 외로운 배가 묵고, 어가로 저녁 새가 돌아온다.

寂寥天地暮, 心與廣川閑.

적료하게 천지는 저물고, 마음은 넓은 내와 한가롭다.

冬日游覽

步出城東門, 試騁千里目.
성 동문을 걸어 나와, 천리 시야 끝까지 달려 본다.
靑山橫蒼林, 赤日團平陸.
청산은 푸른 숲을 가로지르고, 붉은 해는 평원에 둥글다.
渭北走邯鄲, 關東出函谷.
위수 북쪽은 한단으로 달리고, 함곡관을 나서면 관동.
秦地萬方會, 來朝九州牧.
진의 땅은 만방이 모이는 곳, 구주의 지방 장관들이 와서 조회한다.

渡河到淸河作

汎舟大河裏, 積水窮天涯.
큰 황하 위에 배를 띄워 가노라니, 모여 괸 물 하늘 끝으로 흐르는데.
天波忽開拆, 郡邑千萬家.
하늘과 강물이 갑자기 트이면서, 큰 고을 수천수만의 집들이 나온다.
行復見城市, 宛然有桑麻.
가다가 다시 성시가 나타나는데, 완연히 뽕밭 삼밭이 보인다.
回瞻舊鄕國, 淼漫連雲霞.
고개 돌려 고향을 바라보니, 강물만 아득히 구름과 놀에 잇닿아 있구나.

早入滎陽界

汎舟入滎澤, 玆邑乃雄藩.
배를 띄워 형택으로 드니, 이 고을은 웅대한 藩鎭이렷다.
河曲閭閻隘, 川中煙火繁.
강줄기 굽이돌고 마을 골목 좁아, 물 위엔 인가의 연기 자욱하다.
因人見風俗, 入境聞方言.
사람들한테서 풍속을 보며, 경내로 드니 방언이 들린다.
秋晚田疇盛, 朝光市井喧.
가을 저녁 들판은 풍성하고, 아침 햇살에 저잣거리는 떠들썩하다.
漁商波上客, 鷄犬岸旁村.
어부와 상인은 물 위에서 생업에 힘쓰고, 강기슭 마을에선 닭 울고 개 짖는다.
前路白雲外, 孤帆安可論.
앞길은 백운 밖, 외로운 돛 어찌 말할 수 있으랴.

華岳

西岳出浮雲, 積翠在太淸.
뜬 구름 위 서악은, 새파랗게 태청에 있어.
連天疑黛色, 百里遙靑冥.
하늘에 이어져 검푸른 빛 같고, 백 리에 멀리 푸르고 검다.

白日爲之寒, 森沈華陰城.

한낮에도 날씨가 추워, 화음성에 빽빽하게 잠긴다.

昔聞乾坤閉, 造化生巨靈.

전에 듣건대 건곤이 닫히고, 조화가 큰 영험을 냈다더니.

右足踏方止, 左手推削成.

오른 발로 밟아 바로 멈추고, 왼 손으로 밀어 깎아 이루었다.

天地忽開拆, 大河注東溟.

천지가 문득 개탁하여, 대하는 동쪽 바다로 쏟아진다.

遂爲西峙岳, 雄雄鎭秦京.

드디어 서쪽 재가 되어, 웅장하게 진의 서울을 지나네.

大君包覆載, 至德被群生.

대군이 부재를 안고, 지극한 덕은 많은 백성들을 입히네.

上帝佇昭告, 金天思奉迎.

상제가 머물러 밝게 고하니, 가을 하늘에 받들어 맞이할 것을 생각하더라.

人祇望幸久, 何獨禪雲亭.

사람이 공경히 행복을 바람이 오랜데, 어찌하면 홀로 운정에서 선을 할꼬.

終南山

太乙近天都, 連山到海隅.

태을봉은 하늘에 가깝고, 산줄기 이어져 바다 모퉁이에 이르네.

白雲回望合, 靑靄入看無.

사방을 둘러보자 흰 구름 모이더니, 푸른 안개는 어느 새 사라진다.

分野中峰變, 陰晴衆壑殊.

들이 나뉘어 중봉이 달리 보이고, 흐리고 개인 것이 골짝마다 다르구나.

欲投人處宿, 隔水問樵夫.

인가를 찾아 묵고자 하여, 개울 건너 나무꾼에게 물어본다.

寒食城東卽事

淸溪一道穿桃李, 演漾綠蒲涵白芷.

맑은 시내 한 가닥 복사꽃 자두 꽃 사이로 흐르고, 넘실대는 푸른 부들 잠기운 흰 어수리.

溪上人家凡幾家, 落花半落東流水.

시냇가 인가는 모두 몇 집뿐, 낙화는 반이나 동류하는 시냇물에 떨어진다.

蹴踘屢過飛鳥上, 鞦韆競出垂楊裏.

찬 공은 번번이 나는 새 위로 지나고, 타는 그네 다투어 수양 속에서 나오네.

少年分日作遨遊, 不用淸明兼上已.

젊은이는 適時에 마음껏 놀아야지, 청명이나 상사를 기다릴 것 없다네.

崔濮陽兄季重前山興

秋色有佳興, 況君池上閑.
가을빛엔 아름다운 흥이 있거늘, 하물며 그대 못가에 한가로운데.
悠悠西林下, 自識門前山.
유유히 서쪽 숲 아래, 절로 문 앞산을 알겠네.
千里橫黛色, 數峰出雲間.
천리 검푸른 빛이 가로 누워, 여러 봉우리가 구름 사이로 나온다.
嵯峨對秦國, 合沓藏荊關.
높고 높아 진나라를 마주하고, 첩첩하여 사립문을 가리네.
殘雨斜日照, 夕嵐飛鳥還.
그쳐가는 비에 비낀 햇살 비추이고, 저녁 이내에 새는 날아 돌아온다.
故人今尚爾, 嘆息此頹顔.
친구는 이제껏 여전히 저러면서도, 이 찌그러진 얼굴을 탄식하네.

齊州送祖三

相逢方一笑, 相送還成泣.
서로 만나 비로소 한바탕 웃고, 서로 보내며 다시 눈물짓네.
祖帳已傷離, 荒城復愁入.
송별의 자리에서 이미 이별을 슬퍼하였고, 황성으로 다시 시름겨워 들어온다.

天寒遠山淨, 日暮長河急.

날씨 추워 먼 산은 맑디맑고, 해 저물어 긴 황하는 세차네.

解纜君已遙, 望君猶佇立

닻줄을 푸니 그대 이미 멀어지고, 그대를 바라보며 아직껏 우두커니 서 있노라.

漢江臨泛

楚塞三湘接, 荊門九派通.

초나라 변경은 삼상까지 닿았고, 형문 아홉 갈래 물이 지나네.

江流天地外, 山色有無中.

강물은 천지 밖으로 흘러, 산이 보였다 사라졌다 하는데.

郡邑浮前浦, 波瀾動遠空.

군읍은 앞 포구에 떠 있고, 파도는 먼 공중에서 출렁이는구나.

襄陽好風日, 留醉與山翁.

양양 땅 좋은 풍광에, 머물러 산옹과 취할거나.

曉行巴峽

際曉投巴峽, 餘春憶帝京.

새벽녘 파협에 들어서, 봄 끝에 서울을 그리워한다.

晴江一女浣, 朝日衆鷄鳴.

맑은 강물에는 한 여인이 빨래를 하고, 아침 햇빛에 뭇 닭들이 운다.

水國舟中市, 山橋樹杪行.

물의 나라에선 배 안에 시장이 서고, 산 다리라 나무 끝으로 다니는 듯.

登高萬井出, 眺逈二流明.

높이 올라오니 수많은 마을들이 나오고, 멀리 바라다보니 두 가닥 물이
밝다.

人作殊方語, 鶯爲舊國聲.

사람들이 쓰는 방언은 달라도, 꾀꼬리는 고향의 소리로 지저귄다.

賴諳山水趣, 稍解別離情.

산수 흥취에 익숙한 덕에, 이별의 정 조금 풀어본다.

送梓州李使君

萬壑樹參天, 千山響杜鵑.

골짝마다 나무들은 하늘에 닿고, 산마다 두견새 소리.

山中一夜雨, 樹杪百重泉.

산중 하룻밤 비에, 나무 끝마다 백 겹 샘물.

送崔五太守

黃花縣西九折坂, 玉樹宮南五丈原.
황화현 서편 구절판 고개, 옥수궁 남쪽 오장원 벌.
褒斜谷中不容幰, 唯有白雲當露冕.
포사곡에서는 수레 휘장이 용납되지 않아, 백운만이 이슬 젖은 면류관을 덮
어 가려 준다.
子午山裏杜鵑啼, 嘉陵水頭行客飯.
자오산 속에서는 두견새가 울고, 가릉강 물가에서는 행객이 밥을 먹는다.
劍門忽斷蜀川開, 萬井雙流滿眼來.
劍閣山이 문득 끊기면서 촉 땅이 열리고, 수많은 마을들이 두 줄로 눈 가득
히 다가온다.
霧中遠樹刀州出, 天際澄江巴字回.
안개 속 먼 나무 益州가 나오고, 하늘 끝 맑은 강은 巴자로 돈다.

宿鄭州

朝與周人辭, 暮投鄭人宿.
아침에 낙양 사람과 이별하고, 저녁에는 정주 사람 집에 투숙하니.
他鄕絶儔侶, 孤客親童僕.
타향이라 동무 없어, 외로운 손 어린 종과 친히 지낸다.
宛洛望不見, 秋霖晦平陸

낙양은 바라봐도 보이지 않고, 가을장마에 평원이 어두운데.

田父草際歸, 村童雨中牧.

농부는 초원 가로 돌아오고, 마을 아이는 빗속에서 소를 먹인다.

主人東皐上, 時稼遶茅屋.

주인의 동쪽 물가 들녘에는, 제철 곡식들이 모옥을 두르고.

蟲思機杼鳴, 雀喧禾黍熟.

벌레는 베틀 북을 생각나게 울고, 참새 시끄러운데 벼 기장은 여문다.

明當渡京水, 昨晚猶金谷.

내일은 응당 경수를 건너야 하리, 어제 저녁에는 금곡에 있었는데.

此去欲何言, 窮邊徇微祿.

이제 떠나며 무슨 말을 하고 싶으랴, 두메산골로 쥐꼬리만 한 녹봉 좇으면서.

渭川田家

斜光照墟落, 窮巷牛羊歸.

마을은 석양에 짙게 물들고, 깊숙한 골목길에 소 양떼 내려오네.

野老念牧童, 倚杖候荊扉.

늙은 농부 목동이 염려스러워, 지팡이 짚고 사립에서 기다리네.

雉雊麥苗秀, 蠶眠桑葉稀.

이삭 팬 보리밭에서 꿩은 울고, 누에 잠자고 커 뽕잎이 드무네.

田夫荷鋤立, 相見語依依.

농부들은 호미 메고 서서, 주고받는 이야기 다정하여라.

卽此羨閑逸, 悵然歌式微

한가한 이 정경이 하도 부러워, 창연히 식미 시를 읊어보노라.

丁寅田家有贈

在朝每爲言, 解印果成趣

조정에 있을 때는 매양 위하는 말을 하더니, 인끈을 풀어버리고 마침내 풍취를 이루었네.

蔭盡小苑城, 微明渭川樹

작은 동산 성에 그늘이 다 되어, 위천의 나무 희미하게 밝다.

揆予宅閭井, 幽賞何由屢

나를 배려하여 집을 마을에 정해 줘, 그윽한 감상 어찌나 자주 하였던지.

道存終不忘, 迹异難相遇

도덕을 지킴 끝내 잊을 수 없건만, 자취가 달라 서로 만나기 어렵네.

此時惜离別, 再來芳菲度

이때 이별이 아쉬워, 다시 꽃향기를 지나 왔네.

輞川閑居贈裴秀才迪

寒山轉蒼翠, 秋水日潺湲

차가운 산은 오히려 검푸르고, 가을 물은 날마다 졸졸 흐르네.

倚杖柴門外, 臨風聽暮蟬.

지팡이 짚고 사립문 밖에 서서, 바람 맞으며 저녁 매미 소리 듣네.

渡頭餘落日, 墟里上孤烟.

나루턱엔 석양빛 남았는데, 촌락에선 외로운 연기 이네.

復値接輿醉, 狂歌五柳前.

다시 접여를 만나 술에 취하고, 오류의 집 앞에서 큰 소리로 노래 부르네.

新晴野望

新晴原野曠, 極目無氛垢.

비가 오다 막 개어 들판이 광활하여, 시야 끝까지 티끌 한 점 없다.

郭門臨渡頭, 村樹連溪口.

성문은 나루 머리에 임했고, 마을 나무는 시내 어귀로 이어졌다.

白水明田外, 碧峰出山後.

하얀 물은 밭 밖에 밝고, 푸른 봉우리는 산 너머로 나온다.

農月無閑人, 傾家事南畝.

농사 달에 한가로운 사람이 없으니, 온 집안이 남쪽 밭에서 일한다.

淇上卽事田園

屏居淇水上, 東野曠無山.
기수 가에 숨어 사니, 동쪽 들이 넓어 산이 없다.
日隱桑柘外, 河明閭井間.
해는 뽕나무 너머로 숨고, 하수는 마을 사이로 밝다.
牧童望村去, 獵犬隨人還.
목동은 마을을 향해 가고, 사냥개는 사람을 따라 돌아온다.
靜者亦何事, 荆扉趁晝關.
은자에게 무슨 일이 있을까, 가시 사립이 낮에도 닫혀 있다.

輞川閑居

時倚檐前樹, 遠看原上村.
때로 처마 앞 나무에 기대어, 멀리 언덕 위 마을을 바라본다.
靑菰臨水映, 白鳥向山翻.
푸른 줄은 물가에 비추고, 백조는 산으로 날아오른다.

春園卽事

開畦分白水, 間柳發紅桃.
논두렁을 터 맑은 물 나누는데, 버들 새로 붉은 복사꽃 피어 있다.
草際成棋局, 林端擧桔槹.
풀밭은 바둑판을 이루고, 수풀 끝에선 두레박틀 들어 올린다.

春中田園作

屋上春鳩鳴, 村邊杏花白.
지붕 위에서는 봄 비둘기 울고, 마을 가에는 살구꽃이 하얗다.
持斧伐遠揚, 荷鋤覘泉脈.
도끼 가지고 멀리 뻗은 뽕나무 가지를 치고, 호미 메고 물꼬를 둘러본다.
歸燕識故巢, 舊人看新歷.
돌아온 제비는 옛 둥지를 알아보고, 오랜 친구는 새 달력을 살펴보는데.
臨觴忽不御, 惆悵遠行客.
술잔을 앞에 놓고도 문득 마시지 못하고, 먼 길 가는 나그네 쓸쓸히 슬픔에 젖는다.

贈裴十迪

風景日夕佳, 與君賦新詩.
풍경은 해 저물며 아름다운데, 그대에게 새 시를 지어 주노라.

澹然望遠空, 如意方支頤.
담연히 먼 하늘을 바라보며, 여의로 방금 턱을 괸다.

春風動百草, 蘭蕙生我籬.
봄바람은 온갖 풀들을 흔들고, 난초와 혜란이 우리 울타리에 돋아났네.

曖曖日暖閨, 田家來致詞.
어둑어둑한 날 따스한 방으로, 농부가 찾아와 말하기를.

欣欣春還皐, 淡淡水生陂,
"흔흔한 봄이 물가 언덕에 돌아와, 담담한 물 못에 불고.

桃李雖未開, 荑萼滿芳枝.
복사꽃 자두 꽃이 비록 아직 피지 않았지만, 새순과 봉오리가 꽃가지에 가
득하니.

請君理還策, 敢告將農時.
청컨대 그대는 돌아갈 지팡이를 챙기시오, 감히 고하노니 이제 곧 농사철이
된다오."

田家

舊穀行將盡, 良苗未可希.

묵은 곡식은 곧 다 되어가고, 좋은 싹은 아직 바라볼 수 없다.

老年方愛粥, 卒歲且無衣.

노인은 이제 죽도 아끼는데, 세밑에 입을 만한 옷조차 없다.

雀乳靑苔井, 鷄鳴白板扉.

참새는 푸른 이끼 낀 우물에서 새끼를 먹이고, 수탉은 흰 판자 사립에서 운다.

柴車駕羸牸, 草屩牧豪豨.

잡목수레 여윈 암소에게 끌리고, 짚신 신고 튼실한 돼지를 놓아먹인다.

多雨紅榴拆, 新秋綠芋肥

비가 많아 붉은 석류 터지고, 초가을 푸른 토란 살찐다.

餉田桑下憩, 旁舍草中歸.

들 점심에 뽕나무 아래 쉬고, 농막을 향해 풀 사이로 돌아온다.

住處名愚谷, 何煩問是非.

사는 곳 이름이 愚公 골짜기, 어찌 번거롭게 시비를 물으랴.

積雨輞川莊作

積雨空林烟火遲,

장마철 쓸쓸한 산중이라 밥 짓기가 더디어,

蒸藜炊黍餉東葘.

명아주 국을 끓이고 기장밥 지어 동쪽 묵은 밭에서 점심을 먹네.

漠漠水田飛白鷺,

질펀한 무논에는 해오라기 날고,

陰陰夏木囀黃鸝.

우거져 무성한 여름 숲속에선 꾀꼬리가 노래하네.

山中習靜觀朝槿,

산중에선 고요함이 익어 아침 무궁화 바라보며,

松下淸齋折露葵.

소나무 밑에서 목욕재계하고 이슬 머금은 아욱을 뜯네.

野老與人爭席罷,

초야의 이 늙은이 남들과 자리다툼질 끊었는데,

海鷗何事更相疑.

어찌해 저 바다갈매기는 아직도 나를 의심하는고.

田園樂 3

采菱渡頭風急, 策杖林西日斜.

마름 따던 나루터 바람 급하더니, 지팡이 짚고 가는 숲 서편으로 해 기운다.

杏樹壇邊漁父, 桃花源裏人家

행단 옆 어부, 도화원 속 인가.

4

萋萋春草秋綠, 落落長松夏寒.
우거진 봄 풀 가을에도 푸르고, 낙락장송은 여름에도 차다.
牛羊自歸村巷, 童稚不識衣冠.
우양은 스스로 고샅길로 돌아오고, 어린 아이는 벼슬아치 의관을 몰라본다.

5

山下孤煙遠村, 天邊獨樹高原.
산 아래 먼 마을에 한 가닥 연기, 하늘 가 고원의 한 그루 나무.
一瓢顏回陋巷, 五柳先生對門.
한 바가지 물 안회가 사는 누항, 오류선생과 문을 마주한다.

6

桃紅復含宿雨, 綠柳更帶春烟.
복사꽃 붉은데 또 간밤의 비를 머금었고, 버들잎 푸른데 또 봄 안개 끼었네.
花落家僮未掃, 鶯啼山客猶眠.
꽃이 져도 아이종은 쓸지 않고, 꾀꼬리 우는데 산객은 여태 자네.

7

酌酒會臨泉水, 抱琴好倚長松.
술 부어 바로 샘물가에서 마시고, 거문고 안고 장송에 기대기를 좋아한다.
南園露葵朝折, 東谷黃粱夜春.
텃밭 이슬 젖은 아욱은 아침에 꺾고, 샛골 메조는 저녁에 찧는다.

終南別業

中歲頗好道, 晚家南山陲.
중년 들어 자못 도를 좋아해, 만년에 남산 기슭에 집을 두고.
興來每獨往, 勝事空自知.
마음 내키면 매양 혼자 찾는데, 뛰어난 경치는 나만이 아네.
行到水窮處, 坐看雲起時.
개울물 따라 끝까지 가보기도 하고, 앉아서 구름이 피어나는 것을 보기도
하다가.
偶然值林叟, 談笑無還期.
어쩌다 숲속의 노인을 만나면, 웃고 이야기하며 돌아갈 줄 모르네.

過香積寺

不知香積寺, 數里入雲峰.
향적사는 어디인가, 몇 리를 들어가니 구름 산봉우리.
古木無人徑, 深山何處鐘.
고목 우거져 인적이 끊긴, 깊은 산속 어디선가 들려오는 종소리.
泉聲咽危石, 日色冷青松.
개울물 소리 가파른 바위에 목메어 울고, 햇빛은 푸른 솔잎에 차가운데.
薄暮空潭曲, 安禪制毒龍.
저물녘 빈 못 굽이의, 고요한 선 망령된 마음을 씻어내네.

鳥鳴澗

人閑桂花落, 夜靜深山空.
사람은 한가한데 계수꽃은 떨어지고, 고요한 밤 깊은 산은 비어.
月出驚山鳥, 時鳴春澗中.
떠오르는 달에 놀란 산새는, 봄 시냇가에서 때때로 우네.

游感化寺

翡翠香煙合, 瑠璃寶地平.

비취는 향연과 합하고, 유리는 대웅보전에 평평한데.

龍宮連棟宇, 虎穴傍簷楹.

용궁이 집에 이어졌고, 호혈이 처마 곁에 있다.

谷靜唯松響, 山深無鳥聲.

골이 고요하여 솔 소리뿐, 산이 깊어 새 소리도 없는데.

瓊峯當戶拆, 金澗透林鳴.

아름다운 봉우리 문 앞에 열렸고, 고운 시내 숲을 뚫고 운다.

郢路雲端迴, 秦川雨外晴.

도로 가는 길 구름 끝에 아스라하고, 진천은 비 밖에 개었는데.

雁王銜果獻, 鹿女踏花行.

안왕은 과일을 물어다 바치고, 녹녀는 꽃을 밟고 간다.

抖擻辭貧里, 歸依宿化城.

가난한 마을을 하직하고 떨쳐나서, 귀의하여 절에 묵는데.

繞籬生野蕨, 空館發山櫻.

울타리 둘러 들 고사리가 나고, 빈 집에 벚꽃이 피었다.

香飯靑菰米, 嘉蔬綠芋羹.

佛家의 밥은 푸른 줄 열매, 맛있는 채소라야 토란 국.

誓陪淸梵末, 端坐學無生.

誦經 소리 끝을 보태기로 서약하고, 단정히 앉아 無生의 도를 배운다.

燕子龕禪師

山中燕子龕, 路劇羊腸惡.

산중 연자 석실, 길이 양장 같아 심히 고약하고.

裂地競盤屈, 挿天多峭崿.

땅은 갈라져 다투어 꼬불꼬불, 하늘을 찌르는 가파른 낭떠러지가 많다.

瀑泉吼而噴, 怪石看欲落.

폭포는 울부짖으며 내뿜고, 괴석은 바라보면 떨어지려 한다.

巖腹乍旁穿, 澗屑時外拓.

산 중턱이 갑자기 옆으로 뚫려, 시내 시울 가끔 밖으로 넓어지는데.

橋因倒樹架, 柵值垂藤縛.

넘어진 나무 건너질러 다리 되고, 드리운 등 넝쿨 얽혀 울짱 된다.

鳥道悉已平, 龍宮爲之涸.

조도가 이미 모두 평평해지고, 용궁도 말라져.

跳波誰揭厲, 絶壁免捫摸

뛰는 물결 누가 걷고 말고 하랴, 절벽은 잡힐 듯한데.

文杏館

文杏裁爲梁, 香茅結爲宇.

문행 나무 다듬어 들보 만들고, 향모 풀 엮어 지붕 이었나니.

不知棟裏雲, 去作人間雨.

모르리라 마룻대 속의 구름이, 가서 인간의 비가 되는 줄.

欹湖

吹簫凌極浦, 日暮送夫君.

퉁소 부는 소리 먼 개어귀까지 메아리치며, 해질 무렵 친구를 보내네.

湖上一回首, 靑山卷白雲.

호수 위에서 한 번 돌아보면, 청산에 백운만 자욱하리라.

白石灘

淸淺白石灘, 綠蒲向堪把.

맑고 얕은 백석탄 여울, 푸른 부들 거의 한 움큼 되고,

家住水東西, 浣紗明月下.

인가 동서로 물이 흘러, 밝은 달 아래 비단을 빤다.

鹿柴

空山不見人, 但聞人語響.
빈산에 사람은 보이지 않고, 사람의 말소리만 들릴 뿐.
返景入深林, 復照靑苔上.
저녁볕은 숲속 깊이 들어와, 다시 파란 이끼 위에 비추네.

木蘭柴

秋山斂餘照, 飛鳥逐前侶.
가을 산 석양빛을 거두어들이고, 나는 새 앞선 짝을 쫓아가는데.
彩翠時分明, 夕嵐無處所.
고운 비췻빛 이따금 뚜렷이 빛나매, 해 저물녘 이내는 정처 없이 떠돈다.

欒家瀨

颯颯秋雨中, 淺淺石溜瀉.
쏴쏴 가을비 속에, 콸콸 돌에 쏟아져 흐르며.
跳波自相濺, 白鷺驚復下.
튀어 오르는 물방울들 절로 서로 부딪쳐, 해오라기 놀랐다가 다시 내려간다.

山居秋暝

空山新雨後, 天氣晚來秋.
인적 없는 산은 비 온 뒤에 새로운데, 계절은 어느새 늦가을.
明月松間照, 淸泉石上流.
밝은 달빛은 소나무 사이로 비치고, 맑은 샘물은 돌 위를 흐르네.
竹喧歸浣女, 蓮動下漁舟.
대숲 떠들썩하며 빨래 나온 여인들 돌아가고, 연잎 흔들며 고깃배 내려가네.
隨意春芳歇, 王孫自可留.
마음대로 봄꽃이 시들어 버려도, 왕손은 의연히 머무를 수 있으리.

闕題

荊溪白石出, 天寒紅葉稀.
형계 백석을 나오니, 날씨 추워 홍엽도 드무네.
山路元無雨, 空翠濕人衣.
산길에 비가 없는데도, 푸른 하늘이 사람 옷을 적시네.

同盧拾遺韋給事東山別業二十韻

采地包山河, 樹井竟川原.
식읍이 산하에 둘러싸여, 나무와 샘에서 내와 들이 끝난다.
巖端回綺檻, 谷口開朱門.
바위 끝에 화려한 난간이 돌고, 골짜기 어귀에 붉은 문이 열렸다.
階下群峰靑, 雲中瀑水源
섬돌 아래로 군봉은 푸르고, 구름 속이 폭포의 수원인.

東京寄萬楚

濩落久無用, 隱身甘采微
영락하여 오래 쓰이지 못해, 은신하여 고비 꺾는 것도 달게 여긴다.
仍聞薄宦者, 還事田家衣
들으니 낮은 벼슬하는 이가, 돌아와 농부 옷을 입었다 한다.

戱贈張五弟諲三首

一知與物平, 自顧爲人淺
겨우 아는 것은 물과 사이좋게 지내는 것, 스스로 돌아보니 사람됨이 천박하다.

對君忽自得, 浮念不煩遣.

그대를 대하여 문득 스스로 깨닫노니, 헛생각으로 번민하지 않으리.

贈祖三詠

雖有近音信, 千里阻河關.

가까운 날에 소식 주겠다고 하나, 천리 강의 관문이 막혀 있네.

中復客汝潁, 去年歸舊山.

중간에는 여영의 나그네 되었다가, 지난해에야 고향으로 돌아왔네.

結交二十載, 不得一日展.

이십년 동안 친교를 맺었지만, 단 한 번도 정을 풀지 못했네.

貧病子旣深, 契闊余不淺.

그대는 이미 가난 병이 깊었고, 나 또한 근고가 적지 않았네.

仲秋雖未歸, 暮秋以爲期.

중추에 돌아오지 못하더라도, 그러면 늦가을에 만나기로 기약하세.

良會詎幾日, 終自長相思.

즐거운 그 만남이 얼마나 될까, 끝내는 언제나 그리워해야 할 걸.

儲光羲38)의 游茅山 3

平生非作者, 望古懷淸芬.

평생 짓지 않은 건, 옛사람을 우러러 깨끗한 덕행을 사모하기에.

心以道爲際, 行將時不群.

마음은 도를 울타리로 삼아, 행실이 시류에 맞지 않는구나.

4

昔賢居柱下, 今我去人間.

옛 현인은 도서관에 살았고, 지금 나는 인간을 떠난다.

良以直心曠, 兼之外視閒.

진실로 정직하게 마음을 비우니, 아울러 외관도 한가롭다.

---

38) (702~763). 潤州 연릉(지금의 강소 丹陽縣 서남 延陵鎭) 사람이다. 본적은
兗州이고 유학을 가업으로 전해온 가정에서 출생하여 일찍부터 시를 지을
줄 알았다. 726년에 낙양에서 진사에 합격하여 응제로 임관되었다. 네 번
이나 縣尉로 임명되어 한동안 終南山에 은거하다가 후에 太祝으로 임명되
었고 監察御史를 역임했다.
756년, 안녹산 군이 장안을 점령할 때 적에게 잡혀 낙양으로 보내져 僞朝
의 관직에 있다가 탈출하여 남쪽 江漢으로 가 한수를 거슬러 북상하여 귀
국하였다. 757년, 행재에 도착하여 옥에 갇혔다 남방으로 폄적되었고 762
년에 사면되었으나 그곳에서 죽었다.

同王十三維偶然作　1

仲夏日中時, 草木看欲燋.
중하 오정, 초목은 볼수록 볕에 타려 한다.
田家惜功力, 把鋤來東皐.
농부는 공력을 아껴, 호미 들고 동쪽 물가 둔덕으로 온다.
顧望浮雲陰, 往往誤傷苗.
뜬구름 그늘을 뒤돌아보다, 왕왕 잘못 싹을 망친다.

2

孔丘貴仁義, 老氏好無爲.
공자는 인의를 귀히 여기고, 노자는 무위를 좋아하였다.
我心若虛空, 此道將安施?
내 마음은 허공과 같으니, 이 도를 어디에다 베풀까?

3

野老本貧賤, 冒暑鋤瓜田.
본래 빈천한 야로, 더위를 무릅쓰고 외밭을 맨다.

一畦未及終, 樹下高枕眠.

한 고랑도 마치지 못하고, 나무 밑에 편안히 잠을 잔다.

荷蓧者誰子, 皤皤來息肩.

대삼태기를 걸머진 이는 누구신고, 머리 하얀 노인이 와서 쉰다.

不復問鄕墟, 相見但依然

향리는 물어보지도 않고, 서로 만나도 의연할 뿐.

腹中無一物, 高話羲皇年.

뱃속엔 아무 것도 없이, 고상히 태곳적을 이야기한다.

5

靜念惻群物, 何由知至眞.

조용히 생각해보니 뭇 사물이 측은한데, 어떻게 하면 최고의 진리를 알 수 있을까.

狂歌問夫子, 夫子莫能陳

큰 소리로 노래해 선생님께 물어봐도, 선생님은 말씀해 주시지 못하리.

樵父詞

終年登險阻, 不復憂安危.

일 년 내내 험한 곳에 올라도, 다시 안위를 걱정하지 않는다.

蕩漾與神遊, 莫知是與非.

호탕하게 신선과 놀고, 시비를 모르며.

雜詩二首 1

混沌本無象, 末路多是非.

혼돈은 본래 형상이 없고, 말로엔 시비가 많다.

達士志寥廓, 所在能忘機.

달사는 뜻이 끝없이 넓어, 소재에 능히 세사를 잊는다.

效古 1

婦人役州縣, 丁男事征討.

부인은 지방 정부의 역사에 나가고, 장정은 정토에 불려가.

老幼相別離, 哭泣無昏早.

노인과 아이 서로 헤어지매, 곡읍이 아침저녁이 없다.

稼穡既殄絶, 川澤復枯槁.

가색은 이미 끊어졌고, 천택은 다시 영락한다.

2

頳霞燒廣澤, 洪曜赫高丘.

붉은 놀 넓은 못을 불태우고, 태양은 높은 언덕에 빛난다.

野老泣相語, 無地可蔭休.

시골 노인 울며 서로 말하기를, 쉴 만한 곳이 없다 한다.

翰林有客卿, 獨負蒼生憂.

한림원에 客卿 있어, 혼자 창생의 근심 짊어지고.

中夜起躑躅, 思欲獻厥謀.

한밤중에 일어나 배회하며, 방책 올리고자 생각한다.

君門峻且深, 跂足空夷猶.

궁문은 높고도 깊어, 발을 굽히고 괜히 망설인다.

同武平一員外五首　4

朦朧竹影蔽巖扉, 淡蕩荷風飄舞衣.

몽롱한 대 그림자 은자의 집을 가렸고, 맑은 연꽃 바람 춤추는 옷을 나부끼네.

舟尋綠水宵將半, 月隱靑林人未歸.

배 타고 푸른 물을 찾아 밤중이 돼가건만, 달은 푸른 숲에 숨고 사람은 돌아오지 않네.

牧童詞

同類相鼓舞, 觸物成謳吟.
동무끼리 서로 고무하다, 사물에 느껴 노래 부르네.
取樂須臾間, 寧問聲與音.
잠깐 즐기며, 성조나 음률을 묻지 말게.

田家雜興　1

春至鶬鶊鳴, 薄言向田墅.
봄이 와 꾀꼬리 우니, 바삐 서둘러 전가로 향한다.
不能自力作, 黽勉娶隣女.
자력으로만은 지을 수 없어, 부지런히 힘써 이웃 처녀에게 장가들었네.
旣念生子孫, 方思廣田圃.
이윽고 자손 낳을 생각하고, 이제 남새밭도 넓혀야겠다고 생각한다.
閒時相顧笑, 喜悅好禾黍.
한가할 때 서로 돌아보며 웃고, 잘 자란 벼와 기장을 기뻐한다.

4

田家趨隴畝, 當晝掩虛關.
농부는 밭에 나가, 낮에는 빈 집 문이 닫혀 있다.
隣里無煙火, 兒童共幽閒.
인리엔 人煙이 없고, 아이들은 다 조용하다.
桔槔懸空圃, 鷄犬滿桑間.
두레박틀은 빈 남새밭에 걸렸고, 닭과 개는 뽕나무 사이에 가득하구나.

5

平生養情性, 不復計憂樂.
평생 성정을 기르고, 다시 근심과 즐거움을 따지지 않는다.
去家行賣畚, 留滯南陽郭.
집을 떠나 삼태기 팔러 가, 남양성에 머무른다.
秋至黍苗黃, 無人可刈獲.
가을 되어 기장 잎이 누레졌는데도, 베어 거둘만한 사람이 없는데.
稚子朝末飯, 把竿逐鳥雀.
어린 아이는 아침밥도 못 먹고, 간짓대 잡고 참새를 쫓는다.
忽見梁將軍, 乘車出宛洛.
문득 보니 양 장군이, 수레 타고 원락에 나타났다.
意氣軼道路, 光輝滿墟落.

의기는 길을 앞지르고, 광휘가 마을에 가득하지만.

安知負薪者, 哐哐笑輕薄.

땔나무꾼이 허허 경박함을 비웃는 줄 어찌 알까.

行次田家澳梁作

田家俯長道, 邀我避炎氛.

농부가 먼 길을 굽어보다, 나를 맞이해 暑氣를 피한다.

當暑日方晝, 高天無片雲.

한낮 더위에, 높은 하늘엔 구름 한 점 없다.

桑間禾黍氣, 柳下牛羊群.

뽕나무 사이엔 벼와 기장 향기, 버들 아랜 우양 떼.

野雀棲空屋, 晨風不復聞.

들 참새는 빈 집에 깃들이는데, 새벽바람은 다시는 일지 않을 듯.

田家卽事

蒲葉日已長, 杏花日已滋.

부들 잎은 날로 자라고, 행화는 나날이 불어나는데.

老農要看此, 貴不違天時.

늙은 농부 이를 보고자, 때를 어기지 않음을 귀히 여긴다.

迎晨起飯牛, 雙駕耕東菑.

새벽 되면 일어나 소에게 여물 주고, 겨리로 동편 묵정밭을 간다.

蚯蚓土中出, 田烏隨我飛.

지렁이는 흙 속에서 나오고, 밭 까마귀는 나를 따라 난다.

夜到洛口入黃河

河洲多靑草, 朝暮增客愁.

황하 물가에 푸른 풀 많아져, 조석으로 객수를 더한다.

客愁惜朝暮, 枉渚暫停舟.

객수에 조석이 아쉬워, 물굽이 가에 잠시 배를 멈춘다.

中宵大川靜, 解纜逐歸流.

밤중엔 대천이 고요해, 닻줄 풀고 흐름에 맡겨둔다.

浦溆卽淸曠, 沿洄非阻修.

개펄은 맑고 넓어, 물결 따라 배회한 것이 길이 먼 것이 아니다.

登艫望落月, 擊汰悲新秋.

뱃머리에서 지는 달을 바라보니, 부딪치는 물결 새 가을을 슬퍼하는 듯.

倘遇乘槎客, 永言星漢游.

혹 떼 탄 나그네를 만나면, 은하에 논다고 노래한다.

同諸公秋霽曲江俯見南山

天靜終南高, 俯映江水明.
하늘 고요해 종남산은 높고, 굽어보니 강물이 밝게 비친다.
有若蓬萊下, 淺深見澄瀛.
봉래산 밑에는, 얕고 깊게 瀛洲가 보이고
群峰懸中流, 石壁如瑤瓊.
군봉이 중류에 걸려 있고, 석벽은 옥같이 아름답다.
魚龍隱蒼翠, 鳥獸游清泠.
어룡은 푸름에 숨고, 조수는 맑음에 논다.
菰蒲林下秋, 薜荔波中輕.
줄과 부들은 숲 아래 가을을 맞고, 왕모람은 물결 위에 가볍다.
山夐浴蘭阯, 水若居雲屛.
산은 어근버근 난초 물가에 목욕하는 듯, 물은 운모 병풍에 담긴 듯.
嵐氣浮渚宮, 孤光隨躍靈.
이내는 渚宮에 서렸고, 외로운 빛줄기 태양을 따른다.

泊江潭貽馬校書

水宿依漁父, 歌聲好采蓮.
배 안에서 묵으며 어부에게 의지하고, 노랫소리는 좋은 채련곡.
采蓮江上曲, 今夕爲君傳.

강상의 채련곡, 이 저녁 그대 위해 전하네.

霽後貽馬十二巽

高天風雨散, 淸氣在園林.

높은 하늘에 비바람이 흩어져, 원림엔 맑은 기운.

況我夜初靜, 當軒鳴綠琴.

이 고요한 초저녁에 나는, 난간에서 거문고를 탄다.

雲開北堂月, 夜滿南山陰.

구름 걷힌 북당 달, 밤 깊은 남산 그늘.

不見長裾者, 空歌游子吟.

가무 기생도 없는데, 공연히 유자음을 노래한다.

釣魚灣

垂釣綠灣春, 春深杏花亂.

낚싯대 드리운 푸른 물굽이의 봄, 봄은 깊어 살구꽃 어지럽다.

潭淸疑水淺, 荷動知魚散.

못이 맑아 물이 얕은가 싶고, 연꽃 움직임으로 고기 노는 것을 안다.

日暮待情人, 維舟綠楊岸.

일모에 정인을 기다리며, 녹양 언덕에 배를 맨다.

同張侍御鼎和京兆蕭兵曹華歲晚南園

公府傳休沐, 私庭效陸沈.
관아에는 휴목이 전해지고, 사가에서는 육침을 본받는다.
方知從大隱, 非復在幽林.
이제 큰 은거 좇을 줄 알아, 다시는 깊은 숲에 있지 않는다.

華陽作貽祖三詠

朝行敷水上, 暮出華山東.
아침에 부수 위로 가서, 저녁에 화산 동쪽으로 나온다.
舊識無高位, 新知盡固窮.
구면의 고위 관리가 없고, 새로 안 이는 다 고궁하다.
夫君獨輕擧, 遠近善文雄.
그대 홀로 높이 올라, 원근이 글 잘하는 영웅들인데.
豈念千里駕, 崎嶇秦塞中.
어찌 천리를 가려 하오, 기구한 진 변방 속을.

祖咏39)의 歸汝墳山莊留別盧象

淹留歲將晏, 久廢南山期.
오래 머물러 한 해가 저물어 가는데, 오랫동안 남산 기약을 폐했네.
舊業不見棄, 還山從此辭.
구업은 버림받지 않나니, 고향으로 돌아와 이제부터가 사직이네.

田家卽事

舊居東皐上, 左右俯荒村.
전에 살던 동쪽 언덕 위, 좌우로 가난한 마을을 굽어보고
樵路前傍嶺, 田家遙對門.
초로는 옆 고개로 이어지고, 전가와 멀리 문을 마주보았지.
歡娛始披拂, 愜意在郊原.
즐거움이 일어나기 시작하고, 협의는 들에 있는데.
餘霽蕩川霧, 新秋仍晝昏.
갠 뒤 시내 안개가 걷혀도, 초가을이라 낮에도 어둑하다.
攀條憩林麓, 引水開泉源.
가지를 잡고 멧갓에서 쉬고, 물을 대려고 수원을 튼다.
稼穡豈云倦, 桑麻今正繁.

---

39) (생졸년 미상). 낙양 사람으로 왕유의 친구였다. 724년, 진사에 급제하여
    장열의 추천으로 駕部원외랑이 되었다.

가색을 어찌 게을리 하랴, 뽕나무와 삼이 지금 한창인데.

方求靜者賞, 偶與潛夫論.

이제 고요한 데를 찾아 완상하고, 은자를 만나 의논한다.

鷄黍何必具, 吾心知道尊.

꼭 닭과 기장밥을 장만해야만 할까, 내 마음으로 道士를 아는데.

歸汝墳山莊留別盧象

澖麻入南澗, 刈麥向東菑.

삼대 담그러 남쪽 시내로 들어가고, 보리 베러 동쪽 따비밭으로 향한다.

對酒鷄黍熟, 閉門風雪時.

술을 대해 닭과 기장밥은 익어가고, 폐문에 눈보라 칠 때.

家園夜坐寄郭微

前階微雨歇, 開戶散窺林.

앞뜰에 가는 비 개어, 지게문 열고 한가로이 숲을 본다.

月出夜方淺, 水凉池更深.

달이 나와 밤은 이제 옅고, 물이 맑아 못이 더욱 깊다.

餘風生竹樹, 淸露薄衣襟.

남은 바람이 대나무에서 일고, 맑은 이슬 옷깃을 적신다.

遇物遂遙嘆, 懷人滋遠心.

물을 만나 마침내 멀어짐을 탄식하고, 회인에 더욱 마음은 멀어진다.

依稀成夢想, 影響絶徽音.

어렴풋이 몽상을 이루는데, 영향은 아름다운 소리를 끊는다.

誰念窮居者, 明時嗟陸沈

누가 어렵게 사는 사람을 생각해 주랴, 밝은 시대에 육침을 슬퍼한다.

江南旅情

楚山不可極, 歸路但蕭條.

초의 산은 끝이 없고, 귀로는 쓸쓸할 뿐.

海色晴看雨, 江聲夜聽潮

바다 경치는 개어 비가 보이고, 강물 소리에 밤 조수를 듣는다.

泊揚子津

林藏初過雨, 風退欲歸潮

숲으로 들어가자마자 비 지나가고, 바람 자자 조수는 써려 한다.

江火明沙岸, 雲帆碍浦橋.

배 불빛 모래 언덕에 밝고, 흰 돛 포구 다리를 가린다.

晚泊金陵水亭

江亭當廢國, 秋景倍蕭騷.

강 정자만이 망국을 지켜, 추경 더욱 소슬한데.

夕照明殘壘, 寒潮張古濠.

석조는 잔루에 밝고, 찬 조수는 옛 해자에 넘친다.

過鄭曲

路向榮川谷, 晴來望盡通.

길은 영천 골로 향하고, 개어 오자 조망이 다 통한다.

細煙生水上, 圓月在舟中.

가는 연기 물 위에서 일어나고, 둥근 달은 배 속에 있다.

岸勢迷行客, 秋聲亂草蟲.

언덕 형세에 행객이 희미하고, 가을 소리는 풀벌레가 어지럽다.

旅懷勞自慰, 淅淅有涼風.

나그네는 고생을 자위하려 생각하는데, 쌀랑쌀랑 양풍이 분다.

終南望餘雪

終南陰嶺秀, 積雪浮雲端.
종남산 북쪽 재는 우뚝하여, 쌓인 눈이 뜬 구름 위에 있네.
林表明霽色, 城中增暮寒.
숲 밖은 비 뒤의 빛이 밝은데, 해 저물어 성 안엔 추위 더하네.

淸明宴司勳劉郞中別業

田家復近臣, 行樂不違親.
전가로 근신이 돌아와, 행락에 친구를 저버리지 않는다.
霽日園林好, 淸明煙火新.
날 개어 원림이 좋고, 청명에 연화가 새롭다.
何必桃源裏, 深居作隱淪.
하필 도원 속일까, 깊이 살면 은둔이 되는데.

盧象40)의 家叔徵君東溪草堂 1

開山十餘里, 靑壁森相倚.

개간한 산 십여 리, 푸른 절벽 삼연히 서로 기대었다.

欲識堯時天, 東溪白雲是.

요 시대 하늘을 알고 싶거든, 동쪽 시내 백운이 바로 그곳.

雷聲轉幽壑, 雲氣杳流水

뇌성은 깊은 골짜기에 구르고, 운기는 유수에 깊다.

2

水深嚴子釣, 松挂巢父衣.

물은 嚴子陵 낚시터에 깊고, 소나무에는 소부의 옷이 걸렸다.

雲氣轉幽寂, 溪流無是非.

운기는 유적에 구르고, 계류는 시비가 없다.

---

40) (생졸년 미상). 자는 緯卿으로 汶水(지금의 산동 汶上) 사람이다. 진사를
거쳐 비서랑에 보임되고 우위창조의 속관으로 옮겼다. 장구령에게 발탁되
어 좌보궐, 하남부 사록 사훈 원외랑이 되었다. 명성이 크고 기세가 높아
자기를 낮추는 것이 적어 중상을 당하였다. 제, 분, 정 삼군 사마로 좌천되
었다가 들어와 선부원외랑이 되었다.

鄕試後自鞏還田家因謝隣友見過之作

鷄鳴出東邑, 馬倦登南巒.

계명에 동읍을 나와, 말 고달프게 남쪽 산을 오른다.

落日見柔柘, 翳然丘中寒.

낙일에 뽕나무를 보니, 어스레 마을 안이 차다.

隣家多舊識, 投暝來相看.

이웃집에 구면이 많아, 저물게 와 서로 본다.

且問春稅苦, 兼陳行路難.

춘세의 괴로움을 물어 보고, 아울러 세상살이 어려움을 말한다.

園場近陰壑, 草木易凋殘.

뜰이 그늘진 골짝에 가까워, 초목이 쉽게 시든다.

峰晴雪猶積, 澗深冰已團.

봉우리 개었어도 눈은 아직 쌓여 있고, 산골짜기 깊어 얼음은 이미 엉겨 굳어졌다.

浮名知何用, 歲晏不成歡.

부명은 어디다 쓰는 줄 아노니, 세밑에 기쁨을 다하지 못한다.

置酒共君飮, 當歌聊自寬.

술을 차려 그대와 함께 마시며, 노래를 당해 애오라지 절로 너그럽다.

送祖詠

田家宜伏臘, 歲晏子言歸.

전가에는 섣달이 좋은데, 세밑에 그대 돌아가겠다고 하네.

石路雪初下, 荒村鷄共飛.

돌길에 눈이 처음 내리자, 쓸쓸한 마을 닭이 같이 난다.

東原多煙火, 北澗隱寒暉.

동쪽 언덕에는 연화가 많고, 북쪽 물가에는 찬 햇빛이 은은하다.

滿酌野人酒, 倦聞鄰女機.

술잔에 야인 술을 가득 부으니, 이웃 여인의 베틀 소리 게을리 들린다.

胡爲困樵采, 幾日罷朝衣.

무엇 때문에 땔나무 하느라 고생하는고, 관직을 그만둔 지 며칠이나 되었다고.

八月十五象自江東止田園移莊慶會未幾歸汝上小弟幼妹尤嗟其別兼賦是詩三首   1

謝病始告歸, 依然入桑梓.

병을 말해 비로소 돌아가리라 고하고, 의연히 고향으로 들어간다.

家人皆佇立, 相候衡門裏.

집안사람 다 저립하여, 서로 누추한 문 안에서 기다린다.

疇類皆長年, 成人舊童子.

265

동무들은 다 老年이 되었고, 성인은 옛 동자.

上堂家慶畢, 願與親姻邇.

당에 올라 집안 경사를 마치니, 원컨대 친척과 가까이하기를.

論舊或餘悲, 思存且相喜.

옛적 이야기에 슬퍼하다가도, 생각이 나 서로 기뻐한다.

田園轉蕪沒, 但有寒泉水.

전원은 바뀌어 잡초가 우거져 덮였고, 찬 샘물만 남아 있네.

衰柳且蕭條, 秋光清邑里.

쇠한 버들도 쓸쓸한데, 가을빛은 마을에 맑다.

入門作如客, 休騎非便止.

문에 들어가니 언뜻 손님 같아, 말에서 내리니 잠깐 쉬는 것이 아니네.

中飲顧王程, 離憂從此始.

얼근히 취하여 왕명을 받들어 가는 길 돌아보니, 걱정거리가 이로부터 시작된다.

永城使風

長風起秋色, 細雨含落暉.

장풍에 추색이 일어, 가는 비 석양을 머금었다.

夕鳥向林去, 晚帆相逐飛.

저녁 새는 숲을 향해 가고, 저녁 돛은 서로 쫓아 난다.

蟲聲出亂草, 水氣薄行衣.

벌레소리는 거친 풀에서 나오고, 물 기운은 행인의 옷을 적신다.

一別故鄕道, 悠悠今始歸.

한번 떠나온 고향 길, 유유히 이제 비로소 돌아간다.

常建[41]의 贈三侍御

誰念獨枯槁, 四十長江干.

누가 홀로 고고한 이를 생각해줄까, 사십에 장강 가에 있는데.

責躬貴知己, 效拙從一官.

자신을 책망하는 데는 지기가 귀중하니, 못난이 힘을 다해 한 관직을 좇는다.

太公哀晚遇

古來榮華人, 遭遇誰知之

고래로 영화스러운 사람, 조우를 누가 알까.

落日懸桑楡, 光景有頓虧.

낙일은 서녘에 걸려, 광경이 갑자기 이지러진다.

倏忽天地人, 雖貴將何爲.

순간 천지에 사람이, 비록 귀하지만 장차 무슨 일을 할까.

---

41) (생졸년 미상). 727년, 王昌齡과 함께 진사과에 급제하였으나 벼슬은 일개 尉에 그쳤다. 벼슬길에서 뜻을 이루지 못하고 거문고와 술로 방랑하며 太白, 紫閣 등 봉우리를 돌아다녔다. 후에 鄂渚에 살며 王昌齡, 張僨을 불러 함께 은거하였다.

古興

托身難憑依, 生死焉相知.
託身하여 의지하기 어려우니, 생사를 어찌 서로 알까.
偏觀今時人, 擧世皆爾爲.
치우쳐 지금 사람을 보면, 온 세상이 다 이와 같구나.
將軍死重圍, 漢卒猶爭馳
장군은 겹겹이 에워싸여 죽어도, 한 병졸들은 오히려 다투어 달린다.
百馬同一銜, 萬輪同一規
백 마리 말이 한 가지 재갈을 같이 하고, 만 바퀴가 한 가지 동그라미를 같이 한다.
名與身孰親, 君子宜固思.
공명을 몸에 누가 가까이할까, 군자는 마땅히 거듭 생각해야 한다.

鄂渚招王昌齡張僨

謫居未爲嘆, 讒枉何由分.
적거를 탄식하는 것은 아니지만, 참소와 억울함을 어떻게 분간할까.
午日逐蛟龍, 宜爲弔宽文
단오에는 교룡을 쫓고, 마땅히 원혼을 달래는 글을 짓는다.
翻覆古共然, 名宦安足云.
번복은 예와 같으니, 名官을 어찌 이를 수 있으랴.

貧士任枯槁, 捕魚淸江濱.

가난한 선비 고고함을 맡아, 맑은 강가에서 고기를 잡는다.

白湖寺後溪宿雲門

落日山水淸, 亂流鳴淙淙.

낙일에 산수가 맑은데, 어지러이 흐르는 소리 졸졸.

舊蒲雨抽節, 新花水對窓.

묵은 냇버들 비에 마디가 싹트고, 새 꽃은 물가에서 창을 마주한다.

溪中日已沒, 歸鳥多爲雙.

시내에 해는 이미 져, 새들은 많이 짝을 이뤄 돌아온다.

杉松引直路, 出谷臨前湖.

삼송은 직로에 뻗쳤고, 골짜기를 나와 앞 호수에 이른다.

洲渚晩色靜, 又觀花與蒲.

물가 저녁 빛이 고요해, 다시 꽃과 냇버들을 본다.

入溪復登嶺, 草淺寒流速.

시내로 들어갔다 다시 고개를 오르니, 풀이 얕아 찬 물이 빠르다.

圓月明高峰, 春山因獨宿.

둥근 달은 고봉에 밝은데, 봄 산에 의지하여 홀로 잔다.

松陰澄初夜, 曙色分遠目.

솔 그늘은 초저녁에 맑고, 새벽빛은 遠望을 가른다.

日出城南隅, 靑靑媚川陸.

해가 성 남쪽 모퉁이에서 나오자, 푸릇푸릇 水陸이 아름답다.

亂花覆東郭, 碧氣銷長林

어지러이 핀 꽃은 동쪽 성곽을 덮었고, 푸른 기운은 긴 숲을 녹인다.

題破山寺後禪院

淸晨入古寺, 初日照高林

맑은 새벽 옛 절에 오르니, 막 뜨는 해가 높은 숲을 비추네.

竹徑通幽處, 禪房花木深.

대숲 길은 그윽한 곳에 통해, 선방에 꽃나무 우거졌구나.

山光悅鳥性, 潭影空人心.

산 빛은 새들의 본성 즐겁게 하고, 못 그림자는 사람의 마음을 비우네.

萬籟此都寂, 但餘鐘磬音.

천지의 모든 소리 다 고요한데, 들려오는 건 다만 풍경소리뿐.

宿王昌齡隱居

淸溪深不測, 隱處唯孤雲.

맑은 시냇물 깊이를 알 수 없고, 숨어사는 곳엔 외로운 구름뿐.

松際露微月, 淸光猶爲君.

소나무 끝에 초승달이 나와, 맑은 빛은 그대를 위함인 듯.

茅亭宿花影, 藥院滋苔紋.

띠 풀 정자엔 꽃 그림자 드리웠고, 약초밭에는 이끼가 무성하네.

余亦謝時去, 西山鸞鶴群.

나도 세상일 버리고 떠나, 서산의 난새와 두루미를 벗하련다.

江上琴興

江上調玉琴, 一弦淸一心.

강상의 옥 거문고 가락, 한 줄에 맑은 한 마음.

泠泠七弦遍, 萬木澄幽陰.

영령히 일곱 줄에 퍼져, 만 나무가 깊은 그늘에 맑다.

能使江月白, 又令江水深.

능히 강월을 밝게 하고, 또 강물을 깊게 한다.

始知梧桐枝, 可以徽黃金.

비로소 오동나무 가지가 황금 거문고가 될 수 있음을 안다.

晦日馬鐙曲稍次中流作

夜寒宿蘆葦, 曉色明西林

찬 밤 갈대숲에 자니, 새벽 빛 서쪽 숲에 밝다.

初日在川上, 便澄游子心.

아침 해 시내 위에 있어, 문득 나그네의 마음을 맑게 한다.

秦天無纖翳, 郊野浮春陰.

진 하늘엔 구름 한 점 없고, 교야에는 봄 녹음이 깔렸다.

波靖躍釣魚, 舟小綠水深.

물결 고요하여 낚시하러 나갔더니, 배는 적은데 푸른 물 깊다.

出浦見千里, 曠然諧遠景.

포구를 나와 천리를 바라보니, 넓게 원경이 고르다.

扣船應漁父, 同唱滄浪吟.

배를 두드려 어부와 장단 맞춰, 함께 창랑음을 부른다.

漁浦

碧水月自闊, 安流淨而平.

벽수에 달은 절로 넓고, 고요한 흐름 맑고 평평하다.

扁舟與天際, 獨往誰能名.

편주와 하늘 끝, 홀로 감을 누가 이름 지을 수 있을까.

西山

一身爲輕舟, 落日西山際.

이 한 몸 가벼운 배가 되어, 서산에 해 떨어질 때.

常隨去帆影, 遠接長天勢.

언제나 돛 그림자 따라가, 멀리 하늘 끝에 닿네.

物象歸餘淸, 林巒分夕麗

만물의 형상은 남은 맑음으로 돌아가는데, 작은 산 숲은 저녁노을에 곱고

亭亭碧流暗, 日入孤霞繼

아름다운 푸른 물 어두워지면, 해는 외로운 놀 속에 들어가 이어지네.

渚日遠陰映, 湖雲尙明霽

모래톱에는 먼 그늘이 지는데, 호수의 구름은 아직 밝네.

林昏楚色來, 岸遠荊門閉

숲이 어두워지자 초나라 풍경이 되고, 언덕이 멀어 형문이 닫히네.

至夜轉淸迥, 蕭蕭北風厲

밤이 되자 맑은 날씨는 바뀌어, 쌩쌩 매서운 북풍이 부는데.

沙邊雁鷺泊, 宿處蒹葭蔽

모래밭 가의 해오라기가 자는, 둥지는 갈대로 가려 있네.

圓月逗前浦, 孤琴又搖曳

둥근 달이 앞 포구에 내려오면, 들려오는 외로운 거문고 소리.

泠然夜遂深, 白露霑人袂

맑고 상쾌한 밤은 깊어가고, 흰 이슬이 옷소매를 적시네.

湖中晚霽

湖廣舟自輕, 江天欲澄霽

넓은 호수에 배는 가볍고, 강 하늘은 맑게 개려 하네.

是時淸楚望, 氣色猶霢霢

때는 마침 청초한 보름인데, 날은 아직도 어둑어둑하네.

跏躅金霞白, 波上日初麗.

점점 금빛 노을 밝아지더니, 물결 위로 고운 해가 막 오르는데.

煙虹落鏡中, 樹木生天際.

희부연 무지개는 거울 속으로 떨어지고, 숲은 하늘가에서 나타나네.

杳杳涯欲辨, 蒙蒙雲復閉.

멀리 물가를 분간해보려 해도, 자욱한 구름이 다시 덮이네.

春泛若耶溪

幽意無斷絶, 此去隨所偶.

항상 은거하고픈 마음, 마침 짝을 만나 길을 떠나네.

晚風吹行舟, 花路入溪口.

저녁 바람이 가는 배를 밀어, 꽃길을 따라 시내로 들어가네.

際夜轉西壑, 隔山望南斗.

밤이 되어 서쪽 골짜기를 돌아드니, 산 너머 남두성이 보이네.

潭煙飛溶溶, 林月低向後.

못 안개 짙게 날리고, 숲 뒤로는 달이 나직하네.

生事且彌漫, 願爲持竿叟.

세상살이에 오랫동안 찌들었구나, 낚싯대 드리운 늙은이가 되고 싶어라.

宿龍興寺

白日傳心靜, 靑蓮喩法微
백일은 마음을 전하며 고요하고, 푸른 연은 불법의 미묘함을 깨우친다.
天花落不盡, 處處鳥銜飛
눈이 끊임없이 내려, 처처에서 새들이 물고 난다.

題棲霞寺

天花飛不著, 水月白成路.
눈은 날아 붙지 않아, 밝은 수월이 길을 이룬다.
今日觀身我, 歸心復何處
오늘 내 몸을 생각해보니, 다시 어느 곳에 마음을 붙일까.

丘爲[42)]의 尋西山隱者不遇

絶頂一茅茨, 直上三十里.
산꼭대기에 초막 한 채, 곧바로 삼십 리를 올라가.

扣關無僮僕, 窺室唯案几.
문을 두드렸으나 맞이하는 종이 없고, 방 안을 들여다보니 책상뿐이네.

若非巾柴車, 應是釣秋水.
수레를 타고 놀러 가지 않았으면, 아마 가을 물가에서 낚시를 하겠지.

差池不相見, 黽勉空仰止.
서로 어긋나 만나지 못했으니, 간절한 사모의 마음 부질없네.

草色新雨中, 松聲晩窓裏.
풀빛은 빗속에 새롭고, 저녁 창밖엔 솔바람 소리.

及玆契幽絶, 自足蕩心耳.
가슴에 스미는 이 그윽한 정취, 마음을 씻기에 넉넉하구나.

雖無賓主意, 頗得淸淨理.
손님과 주인이란 생각은 없지만, 맑고 깨끗한 뜻을 자못 알겠네.

興盡方下山, 何必待之子.
흥이 다하면 곧 산을 내려갈 것이니, 어찌 구태여 이 사람을 기다리리.

---

42) (생졸년 미상). 嘉興 사람으로 조년에 누차 과거에 낙제하고 은거하여 수
년 동안 독서하였다. 천보 초, 진사에 급제하였다. 벼슬은 太子右庶子에 이
르러 96세에 죽었다.

題農父廬舍

東風何時至, 已綠湖上山.
동풍은 언제 불까, 이미 호수 위의 산이 푸르렀네.
湖上春已早, 田家日不閒.
호수 위 봄은 이미 일러, 농가는 날로 한가롭지 않네.
溝流水處, 耒耜平蕪間.
밭두둑 도랑에 물 흐르는 곳, 잡초 무성한 평평한 들에서 쟁기질하네.
薄暮飯牛罷, 歸來還閉關.
해거름에 소 다 뜯기고, 돌아와 다시 문을 닫네.

泛若耶溪

結廬若耶裏, 左右耶溪水.
약야 속에 집을 지어, 좌우가 야계의 물.
無日不釣魚, 有時向城市.
낚시질 않는 날 없어, 가끔 성시로 향한다.
溪中水流急, 渡口水流寬
시내에서는 물 흐름이 급하지만, 나루에서는 물 흐름이 넓다.
每得樵風便, 往來殊不難
매양 나무꾼에게 소식을 들어, 왕래가 별로 어렵지 않다.
一川草長綠, 四時那得辨.

온 내 풀이 오래 푸르니, 사시를 어떻게 분간할 수 있을까.

短褐衣妻兒, 餘糧及雞犬.

짧은 거친 무명옷은 처자에게 입히고, 남은 양식으로 닭과 개를 먹인다.

日暮鳥雀稀, 稚子呼牛歸.

해질 무렵에 참새가 드물어지고, 어린 아이는 소를 몰고 돌아온다.

住處無隣里, 柴門獨掩扉.

사는 곳이 동네가 없어, 사립문 문짝이 닫혀만 있다.

薛據⁴³⁾의 懷哉行

明時無廢人, 廣厦無棄材.
밝은 시대에는 폐인이 없고, 광하에는 버릴 재목이 없다.
良工不我顧, 有用寧自媒.
양공이 나를 돌아보지 아니 하니, 유용해도 어찌 스스로를 중매하랴.
懷策望君門, 歲晏空遲回.
계책을 품고 궁문을 바라보며, 세밑에 괜히 서성거린다.
主好臣必效, 時禁權必開.
임금이 좋으면 신하가 반드시 본받고, 때로 금하면 권력은 반드시 열린다.

初去郡齋書情

時移多讒巧, 大道竟誰傳.
시대가 변해 참소와 교묘함이 많으니, 대도는 마침내 누구에게 전해질까.
志士不傷物, 小人皆自姸.
지사는 물에 상심하지 않고, 소인은 다 스스로 뽐낸다.

---

43) 河東 사람으로 개원 19년의 진사이다. 일찍이 永樂主簿를 맡았다가 임기가
차 涉縣令으로 전임되었다. 천보 6년, 風雅古調科에 합격한 뒤 大理司直,
太子司議郞 등을 거쳐 水部郞中에 이르러 그쳤다. 왕유, 두보와 사이가 좋
았고 일찍이 高適과도 화답했다.

登秦望山

南登秦望山, 目極大海空.
남으로 진망산에 올라, 대해 하늘 끝까지 바라본다.
朝陽半蕩漾, 晃朗天水紅.
조양은 반이나 탕양하여, 환하게 하늘과 물이 붉다.
谿壑爭噴薄, 江湖遞交通.
계곡들이 다투어 뿜고 솟구쳐, 강호가 번갈아 서로 통한다.
而多漁商客, 不悟歲月窮.
너는 어부와 상객이 많아, 궁한 세월을 모르는구나.
振緡迎早潮, 弭櫂候長風.
옷을 떨치고 아침 조수를 맞고, 노를 멈추고 장풍을 기다린다.
予本萍泛者, 乘流任西東.
나는 본래 부평초처럼 유랑하는 자, 흐름을 타고 동서를 맡긴다.
茫茫天際帆, 棲泊何時同.
망망한 하늘가 돛대, 언제나 함께 정박할까.
將尋會稽迹, 從此訪任公.
회계의 자취를 찾아가 여기에서부터 임공을 방문하려 한다.

西陵口觀海

長江漫湯湯, 近海勢彌廣.

장강은 넓고 탕탕한데, 바다 가까이는 형세가 더욱 넓다.

在昔胚渾凝, 融爲百川決

옛적에 混沌이 엉겼다가, 녹아 백 천이 깊게 되었다.

地形失端倪, 天色讚滉漾.

지형은 산꼭대기와 물가를 잃고, 천색이 넓고 깊게 뿌려졌다.

東南際萬里, 極目遠無象.

동남으로 만 리에 닿아, 끝까지 보면 멀어 형상도 없다.

山影乍浮沈, 潮波忽來往.

산영은 언뜻 부침하고, 조수 물결 홀연 내왕한다.

孤帆或不見, 櫂歌猶想像.

고범은 혹 보이지 아니 해도, 뱃노래는 오히려 상상된다.

日暮長風起, 客心空振蕩.

일모에 장풍이 일어, 나그네 마음 괜히 떨린다.

浦口霞未收, 潭心月初上.

포구에 놀 아직 안 걷혔는데, 못 가운데 달이 처음 오른다.

林嶼幾遭廻, 亭皐時偃仰.

뭇 섬을 얼마나 전전하였던가, 물가 평지에서 때로 누웠다 일어났다 한다.

歲晏訪蓬瀛, 眞游非外奬.

세밑에 봉래와 영주를 찾으니, 道觀 유람은 권장 받은 건 아니다.

泊震澤口

日落草木陰, 舟徒泊江汜.
해 떨어져 초목에 그늘지자, 뱃사람들 강가에 배를 댄다.
蒼茫萬象開, 合沓聞風水.
아득히 만상이 열리고, 바람 소리 물소리 겹쳐 들린다.
洄沿值漁翁, 窈篠逢樵子.
물 따라 오르내리다 어옹과 마주치고, 으늑한 데서 나무꾼을 만난다.
雲開天宇靜, 月明照萬里.
구름 걷혀 천우는 고요하고, 달은 밝게 만 리를 비춘다.
早雁湖上飛, 晨鐘海邊起.
이른 기러기 호상을 날고, 새벽종이 해변에 인다.
獨坐嗟遠游, 登岸望孤洲.
홀로 앉아 원유를 탄식하고, 언덕에 올라 외로운 섬을 바라본다.
零落星欲盡, 朦朧氣漸收.
깜박이는 별은 다하려 하고, 흐릿한 달빛 기운 점점 걷힌다.

崔顥⁴⁴⁾의 舟行入剡

靑山行不盡, 綠水去何長

청산 길은 끝이 없고, 녹수는 흘러 어찌나 긴지.

地氣秋仍濕, 江風晩漸凉

지기는 가을이라 축축하고, 강풍은 저녁에 점점 서늘해진다.

山梅猶作雨, 谿橘未知霜.

산 매화나무에는 아직 비가 일어나고, 계곡 귤은 서리를 모른다.

入若耶溪

輕舟去何疾, 已到雲林境

가벼운 배라 어찌나 빠른지, 어느새 구름 덮인 숲속에 이르렀네.

起坐魚鳥間, 動搖山水影.

일어났다 앉으면 물고기와 새들 사이, 산수의 그림자 흔들거리네.

---

44) (?~754). 汴州(지금의 하남 開封)사람이다. 개원 10년이나 11년의 진사이
  다. 조년에 왕유, 노상, 韋陟 형제 등과 교제하였고 강남 일대를 유람하였
  으며 한때 하동 군막에서 일했다. 후에 太僕寺丞, 司勳員外郞 등으로 전임
  되었다.

晚入汴水

昨晚南行楚, 今朝北泝河.

엊저녁에는 남으로 초에 갔다가, 오늘 아침에는 북으로 황하를 거슬러 올라 간다.

客愁能幾日, 鄕路漸無多.

객수가 며칠이나 될까마는, 환향 길은 점점 많지 않다.

晴景搖津樹, 春風起棹歌.

개인 경치는 나루 나무를 흔들고, 춘풍은 뱃노래를 일으킨다.

長淮亦已盡, 寧復畏潮波.

긴 회수도 이미 다했으니, 어찌 다시 조수 파도를 두려워하랴.

黃鶴樓

昔人已乘黃鶴去, 此地空餘黃鶴樓.

옛 사람 이미 황학 타고 가버리어, 여기 공연히 황학루만 남았구나.

黃鶴一去不復返, 白雲千載空悠悠.

한번 떠난 황학은 다시 돌아오지 않고, 흰 구름만 천 년 두고 부질없이 떠 가누나.

晴川歷歷漢陽樹, 芳草萋萋鸚鵡洲.

맑은 강물 저 쪽엔 한양의 나무들이 역력하고, 봄풀은 앵무주에 무성히 자 라 있네.

日暮鄕關何處是, 煙波江上使人愁.

해는 져 가는데 내 고향은 어디쯤일까. 안개 낀 강 물결은 향수에 젖게 하네.

龍池篇

龍池躍龍龍已飛, 龍德先天天不違.

용 못에 용이 뛰어 용이 이미 나니, 용의 덕은 선천이라 자연을 어기지 않는다.

池開天漢分黃道, 龍向天門入紫微.

못은 천한을 열어 황도를 나누고, 용은 천문을 향해 자미원으로 들어간다.

題潼關樓

山勢雄三輔, 關門扼九州.

산세는 삼보에 웅장하고, 관문은 구주를 누른다.

川從陝路去, 河繞華陰流.

내는 두멧길을 따라 가고, 황하는 화음을 둘러싸고 흐른다.

行經華陰

岧嶤太華俯咸京, 天外三峰削不成.
우뚝 솟은 화산은 함양을 굽어보고, 하늘 밖의 세 봉우리는 깎아 된 것은
아니리.
武帝祠前雲欲散, 仙人掌上雨初晴.
용신의 사당 앞에 구름이 흩어지자, 선인장 절벽 위에 막 비가 개었네.
河山北枕秦關險, 驛樹西連漢畤平.
황하와 화산은 북쪽으로 함곡관을 베고 험난한데, 역의 나무는 서쪽으로 한
치에 닿아 반듯하구나.
借問路旁名利客, 無如此處學長生.
명리를 구하는 길손에게 물어보자. 여기에서 장생술을 배움만 못하리.

王之渙[45]의 登鸛雀樓

白日依山盡, 黃河入海流.
해는 산 너머로 지고, 황하는 바다로 흐른다.
欲窮千里目, 更上一層樓.
천리 밖을 내다보려고, 다시 한 층 위로 오르네.

---

45) (688~742). 자는 季陵, 본가는 晋陽이고 후에 絳郡(지금의 산서 신강현)으
로 이사했다. 冀州衡水主簿를 맡은 뒤 사직하고 산수에 유유 자적하였다.
만년에 文安縣尉로 있다 관사에서 죽었다. 남은 시는 6수 절구뿐이나 천하
에 이름을 떨쳤다.

韋述(?~757)의 晩渡伊水

悠悠涉伊水, 伊水淸見石.

유유히 이수를 건너니, 이수는 맑아 돌이 보인다.

是時春向深, 兩岸草如積.

이 때 봄은 깊어가, 양안에는 풀이 쌓인 듯.

迢遞望洲嶼, 逶迤亘津陌.

멀리 작은 섬을 바라보니, 꾸불꾸불 뻗은 나루 길.

新樹落疏紅, 遙原上深碧.

새 나무는 성긴 붉은 꽃을 떨어뜨리고, 먼 언덕에는 짙은 푸름이 오른다.

回瞻洛陽苑, 遽有長山隔.

낙양 禁苑을 돌아보니, 문득 긴 산이 막혀 있다.

煙霧猶辨家, 風塵已爲客.

연무에 오히려 집을 분별하고, 풍진에 이미 나그네 되었어라.

登陟多異趣, 往來見行役.

높은 데 오르면 다른 정취가 많아, 왕래하며 행역을 겪는다.

雲起早已昏, 鳥飛日將夕.

구름이 일어나 일찍 어두워지고, 새 날며 날은 저물어간다.

光陰逝不借, 超然慕疇昔.

가는 세월 빌리지 못하고, 초연히 지난날을 그린다.

遠游亦何爲, 歸來存竹帛.

원유는 또 무엇 하랴, 돌아와 책을 살핀다.

春日山莊

初歲開韶月, 田家喜載陽.
세초 좋은 달이 되어, 전가는 햇살이 따스해짐을 기뻐한다.
晚晴搖水態, 遲景蕩山光.
늦게 개어 물 경치 흔들리고, 저녁 볕 산 경색을 움직인다.
浦淨漁舟遠, 花飛樵路香.
포구 맑아 고깃배 멀고, 꽃이 날려 나뭇길 향기롭다.
自然成野趣, 都使俗情忘.
자연이 야취를 이루어, 모두 속정을 잊게 한다.

高適46)의 登廣陵棲靈寺塔

淮南富登臨, 茲塔信奇最.

회남에는 등림이 많은데, 이 탑이 참으로 가장 신기하다.

直上造雲族, 憑虛納天籟.

곧바로 솟아 구름 속에 닿고, 허공에 기대어 천지자연의 소리를 받아들인다.

迥然碧海西, 獨立飛鳥外.

멀리 푸른 바다 서쪽, 나는 새 밖에 홀로 서 있다.

始知高興盡, 適與賞心會.

고상한 흥취도 다함을 비로소 알아, 마침 완상하는 마음에 맞다.

連山黯吳門, 喬木吞楚塞.

이어진 산은 오문에 어둡고, 교목은 초의 요새를 삼킨다.

城池滿窓下, 物象歸掌內.

성 못은 창 아래 가득하고, 물상은 손바닥 안으로 돌아온다.

遠思駐江帆, 暮時結春靄.

멀리 생각건대 머무르는 강 돛에는, 저물 때 봄놀이 맺혔겠지.

軒車疑蠢動, 造化資大塊.

높은 수레가 준동하는 듯, 조화는 대지를 돕는다.

何必了無身, 然後知所退.

하필 무아를 깨달아야만 할까, 연후에 물러날 곳을 안다.

---

46) (700~765). 자는 達夫 또는 仲武, 발해 蓨(지금의 하북 滄縣) 사람이다. 소시에 빈곤하여 20세 후 장안에 가 벼슬을 구했으나 불우하여 燕, 趙, 梁, 宋 일대를 유랑하였다. 40세 후 有道科에 합격하여 封丘尉에 제수되어 곧 사직하고 河西節度使 哥舒翰의 군막에서 掌書記로 있었다. 안사의 난 후 西川節度使 등을 거쳐 마지막에는 散騎常侍를 맡았다.

淇上別劉少府子英

近來住淇上, 蕭條唯空林
요즘 기수 가에 사는데, 쓸쓸한 빈 숲뿐.
南登黎陽渡, 莽蒼寒雲陰.
남으로 여양 나루에 오르니, 푸릇푸릇한 들에 구름 그늘이 차다.
桑葉原上起, 河凌山下深
상엽은 언덕 위에 일고, 황하가 지나가 산 아래가 깊다.

途中酬李少府贈別之作

驅馬出大梁, 原野一悠然
말을 몰아 대량을 나오니, 들판은 유연하기 한결같다.
柳色感行客, 雲陰愁遠天
버들 빛은 행객을 느끼게 하는데, 구름 어두워 먼 하늘이 걱정된다.

淇上酬薛三據兼寄郭少府微

故交負靈奇, 逸氣抱謇謬.
옛 친구가 탁월하게 우수함을 타고나, 뛰어난 기상 직언을 품었다.

隱軫經濟具, 縱橫建安作.

경세제민의 재능 풍부하고, 건안 문풍을 종횡하였다.

才望忽先鳴, 風期無宿諾.

재주와 聲譽 문득 일찍 울렸고, 風度는 신의를 저버리지 않았다.

宋中遇林慮楊十七山人因而有別

昔余涉漳水, 驅車行鄴西.

전에 내가 장수를 건너, 수레를 몰아 업성 서쪽으로 갔지.

遙見林慮山, 蒼蒼戞天倪.

멀리 임려산을 보니, 창창히 天邊에 어근버근.

邂逅逢爾曹, 說君彼巖棲.

우연히 그대들을 만나, 그대에게 저 석굴에서 산다 말했지.

蘿徑垂野蔓, 石房倚雲梯.

여라 무성한 소로에는 들 덩굴 풀 드리웠고, 돌집은 운제를 의지했네.

秋韭何靑靑, 藥苗數百畦.

가을 부추는 어찌나 푸르던지, 약초 싹은 수 백 이랑.

栗林隘谷口, 栝樹森廻谿.

밤 숲은 골 어귀를 막고, 향나무 빽빽한 굽은 계곡.

耕耘有山田, 紡績有山妻.

경운할 산전이 있고, 방적하는 산골 아내가 있었지.

人生苟如此, 何必組與珪.

인생이 참으로 이와 같을진대, 하필 인끈과 홀일까.

誰謂遠相訪, 曩情殊不迷.

누가 멀리 서로 찾는다 말하는고, 그전 정은 유달리 희미하지 않네.

簷前擧醇醪, 竈下烹隻鷄.

처마 앞에서 맛있는 탁주를 들고, 부뚜막 아래 한 마리 닭을 삶네.

朔風忽振蕩, 昨夜寒螿啼.

삭풍이 문득 진동하더니, 어젯밤 찬 애매미가 우네.

遊子益思歸, 罷琴傷解攜.

나그네는 돌아갈 생각 더하여, 거문고를 파하고 이별을 슬퍼하네.

出門盡原野, 白日黯已低.

문을 나서니 모두 원야인데, 백일은 어두워져 이미 낮네.

始驚道路難, 終念言笑睽.

처음엔 도로 어려움에 놀랐다가, 마침내 담소를 생각하며 등을 돌리네.

因聲謝岑壑, 歲暮一攀躋.

소리 내어 고봉 심곡을 작별하고, 세모에 한번 기어오르네.

淇上別業

依依西山下, 別業桑林邊.

그리운 서산 밑, 뽕나무밭 끝에 있는 별장.

庭鴨喜多雨, 隣鷄知暮天

뜰에 오리들은 잦은 비에 좋아하고, 이웃집 닭은 해 저묾을 아네.

野人種秋菜, 古老開原田.

농부는 가을 채소 뿌리고, 옛 늙은이는 들에서 밭을 일구네.

且向世情遠, 吾今聊自然.

게다가 본래 세속과는 멀어, 요즘 나는 자연 그대로다.

重陽

節物驚心兩鬢華, 東籬空繞未開花.

절물에 놀란 마음 양 귀밑털이 흰데, 동리엔 피지 않은 꽃이 괜히 둘러쌌네.

百年將半仕三已, 五畝就荒天一涯.

반백년에 벼슬을 세 번이나 그만두고, 다섯 묘 거친 밭에 나가니 하늘 한 끝.

豈有白衣來剝啄, 一從烏帽自敧斜.

어찌 백의에게 와 두드리는 이가 있을까, 한번 검은 두건 은사를 따라 스스로 기울었네.

眞成獨坐空搔首, 門柳蕭蕭噪暮鴉.

참으로 홀로 앉아 괜히 머리를 긁는데, 문 앞 버들은 쓸쓸한데 저녁 까마귀 떠들썩하네.

寄宿田家

田家老翁住東陂, 說道平生隱在玆.

전가 노옹 동쪽 언덕에 사는데, 평생을 이곳에서 숨어 산다고 말하네.

鬢白未曾記日月, 山青每到識春時.

귀 밑이 흰데 일찍 일월을 기억해본 적 없고, 매양 산이 푸르러지면 봄 때를 아네.

門前種柳深成巷, 野谷流泉添入池.

문전에 버들을 심어 깊이 골목을 이루었고, 산곡에 흐르는 샘물 못으로 흘러드네.

牛壯日耕十畝地, 人閒常掃一茅茨.

소는 힘이 좋아 하루에 열 묘 땅을 갈고, 사람은 한가로이 항상 한 띳집을 쓰네.

客來滿酌淸尊酒, 感興平吟才子詩.

손님이 오면 깨끗한 술그릇에 술을 가득 붓고, 흥취를 느껴 잔잔히 재자의 시를 읊네.

巖際宿中藏鼯鼠, 潭邊竹裏隱鸕鶿.

바위 틈 굴 안에 두더지 숨고, 못 가 대숲 속에는 가마우지 숨었네.

村墟日落行人少, 醉後無心怯路岐.

촌락에 해 떨어져 행인이 적어, 취후에 무심히 갈림길을 겁내네.

今夜只應還寄宿, 明朝拂曙與君辭.

오늘 밤은 다만 응당 돌아와 기숙하지만, 내일 아침에는 새벽을 떨치고 그대와 작별하리.

封丘作

拜迎官長心欲碎, 鞭撻黎庶令人悲.

높은 사람을 대접하자니 내키지 않고, 백성을 닦달하자니 사람을 슬프게 한다.

乃知梅福徒爲爾, 轉憶陶潛歸去來.

이제 알겠네, 매복의 모두 헛된 일이란 말, 도잠을 회상하며 고향으로 돌아가리.

自淇涉黃河途中作 9

朝從北岸來, 泊船南河滸.

아침에 강 북안에서 배를 띄워, 남쪽 황하 기슭에 대고.

試共野人言, 深覺農夫苦.

시골 사람들과 이야기를 해보니, 농부들의 고생을 깊이 알겠네.

去秋雖薄熟, 今夏猶未雨.

지난 가을에는 그래도 수확을 좀 했는데, 올 여름에는 비 한 방울 뿌리지 않고.

耕耘日勤勞, 租稅兼鳧鹵.

밭 갈고 김매고 날마다 부지런히 일하지만, 세금은 간석지 몫까지 내라 하네.

園蔬空寥落, 産業不足數.

채소밭은 텅 비고, 산업은 넉넉하지 못하여.

尚有獻芹心, 無因見明主.

미나리를 바치고 싶은 마음은 있어도, 현명한 임금을 찾을 길이 없다네.

過盧明府有贈

奸猾唯閉戶, 逃亡歸種田.

간활하여 다만 문을 닫고, 도망해 돌아가 밭에 씨 뿌린다.

皆賀蠶農至, 而無徭役牽.

모두 잠농이 이름을 축하하고, 요역에 끌려가지는 않는다.

張謂의 九日

秋來林下不知春, 一種佳游事也均.

가을이 와 숲 아래에서는 봄을 몰라도, 한 가지 좋게 노는 일이야 응당 고르리.

絳葉從朝飛著夜, 黃花開日未成旬.

홍엽은 아침부터 날아 밤에 이르고, 황화 핀 날은 열흘이 안 된다.

將曛陌樹頻驚鳥, 半醉歸途數問人.

해 떨어지면서 가로수는 자주 새를 놀래고, 반취한 귀로에 자주 사람에게 묻는다.

城遠登高併九日, 茱萸凡作幾年新.

성 멀리 등고한 중구 날, 수유는 무릇 몇 년이나 새롭게 되었을까.

岑參⁴⁷⁾의 南池夜思王屋青蘿舊齋

早年家王屋, 五別青蘿春.

조년에 집이 왕옥에 있어, 다섯 번 송라 봄을 작별했지.

安得還舊山, 東谿垂釣綸.

어떡하면 구산으로 돌아가, 동쪽 시내에 낚싯줄을 드리울까.

初授官題高冠草堂

三十始一命, 宦情多欲闌.

서른에 初仕를 시작하여, 벼슬할 마음이 많이 없어지려 했다.

自憐無舊業, 不敢恥微官.

구업 없는 자신이 불쌍하였지만, 감히 미관을 부끄러워하지 못했다.

---

47) (715~770). 荊州 江陵(지금의 호북 강릉) 사람인데 본적은 南陽(지금의 하
남 남양)이다. 소시에 王屋山에 은거하였다. 20세에 장안에 가서 궐하에
글을 올린 이후 10년 동안 누차 장안과 낙양 사이를 왕래하였다. 천보 3
년, 진사에 급제하였다. 749년, 안서절도사 高仙芝 군막에서 서기를 맡다
751년, 장안에 돌아왔다. 754년, 封常淸을 따라 안서, 北庭節度判官을 맡았
다. 757년, 조정에 들어와 右補闕이 되었다. 뒤에 嘉州刺史가 되었다가 成
都에서 죽었다.

還高冠潭口留別舍弟

昨日山有信, 祗今耕種時.

어제 산에 기별이 있었는데, 지금은 밭 갈고 씨 뿌릴 때.

遙傳杜陵叟, 怪我還山遲.

멀리 두릉 늙은이에게 전하기를, 나의 致仕 늦음을 괴이쩍어 하네.

終南山雙峰草堂

斂迹歸山田, 息心謝時輩.

종적을 감추고 산촌에 돌아와, 마음 쉬며 시배를 멀리하네.

有時逐漁樵, 盡日不冠帶.

때로는 나무꾼과 고기잡이를 가까이하며, 종일토록 관대를 하지 않네.

因假歸白閣西草堂

雷聲傍太白, 雨在八九峰.

뇌성은 태백 곁, 비는 팔구 봉우리에.

東望白閣雲, 半入紫閣松.

동쪽으로 백각 구름을 바라보니, 반쯤 자각 소나무로 들어갔다.

誤徇一微官, 還山愧塵容.

그릇 한 미관을 좇다, 산으로 돌아오니 속된 모습이 부끄럽다.

虢州郡齋南池幽興因與閣二侍御道別

性本愛魚鳥, 未能返巖谿.

성품이 본래 물고기와 새를 사랑하였지만, 산림 계곡으로 돌아갈 수 없었다.

中歲徇微官, 遂令心賞暌.

중년에 미관을 좇다, 마침내 마음으로 사랑하는 것을 등지게 되었다.

及茲佐山郡, 不異尋幽棲.

이 산골 군의 屬官으로 와서도, 다르지 않게 숨어 사는 이를 찾았다.

終南雲際精舍尋法澄上人不遇歸高冠東潭石淙望秦嶺微雨作貽友人

昨夜雲際宿, 旦從西峰回.

어제 밤 운제정사에서 자고, 아침에 서쪽 봉우리로부터 돌아온다.

不見林中僧, 微雨潭上來.

숲 속에 스님은 보이지 않고, 미우만 못 위에 온다.

諸峰皆靑翠, 秦嶺獨不開.

모든 봉우리는 다 푸른 비취색인데, 진령만 안 열렸다.

石鼓有時鳴, 秦王安在哉.

돌 북은 때로 울리는데, 진왕은 어디에 있을까.

水深斷山口, 吼沫相喧豗.

물이 깊어 산 어귀를 끊어, 울부짖는 물거품 서로 떠들썩하다.

噴壁四時雨, 傍村終日雷.

절벽에 뿜어 사시 비가 오고, 옆 마을엔 종일 천둥소리.

潼關使院懷王七季友

開門見太華, 朝日映高掌.

문을 열고 태화를 보니, 아침 해가 선인장을 비춘다.

忽覺蓮花峰, 別來更如長

문득 연화봉을 알아보니, 따로 다시 길어난 듯.

宿蒲關東店憶杜陵別業

關門鎖歸客, 一夜夢還家.

관문은 돌아가는 나그네를 막지만, 하루 밤 꿈에 집으로 돌아갔네.

月落河上曉, 遙聞秦樹鴉.

달이 황하 위로 떨어지는 새벽, 멀리 진 나무의 까마귀 소리를 듣네.

長安二月歸正好, 杜陵樹邊純是花

장안 이월에 돌아가면 정히 좋으니, 두릉 나무 가에는 온통 꽃일 테지.

至大梁卻寄匡城主人

仲秋至東郡, 遂見天雨霜.
중추에 동쪽 군에 이르러, 마침내 하늘의 비와 서리를 본다.
昨日夢故山, 蕙草色已黃.
어제 고산을 꿈꿨는데, 혜란 빛이 이미 노랗더니.
四郊陰氣閉, 萬里無晶光.
사방 교외가 음기에 막혀, 만 리에 맑은 빛이 없다.
長風吹白茅, 野火燒枯桑.
장풍은 백모에 불고, 야화는 마른 뽕나무를 태운다.

王昌齡[48]의 緱氏尉沈興宗置酒南谿留贈

林色與溪古, 深篁引幽翠.

숲 빛은 시내와 더불어 오래되었고, 깊은 대숲은 검푸름을 끈다.

山尊在漁舟, 棹月情已醉.

산골 술잔이 고깃배에 있어, 노와 달의 정에 이미 취했다.

始窮清源口, 壑絶人境異.

비로소 맑은 수원 어귀가 막히고, 골짜기가 끊겨 세상과 다르다.

春泉滴空崖, 萌草拆陰地.

봄 샘은 빈 낭떠러지에 떨어지고, 싹트는 풀에 음지가 터진다.

久之風榛寂, 遠聞樵聲至.

오랜 바람 개암나무에 자고, 멀리 나무꾼 소리 들려온다.

宿裴氏山莊

蒼蒼竹林暮, 吾亦知所投.

창창한 죽림에 날 저무니, 나도 투숙할 곳을 안다.

靜坐山齋月, 清溪聞遠流.

달 뜬 산재에 고요히 앉으니, 청계 멀리 흐르는 소리 들린다.

---

48) (694~756). 자는 少伯이며 京兆 萬年(지금의 서안시에 속한다) 사람이다. 개원 15년 진사로 秘書郎에 보임되어 氾水尉, 江寧丞으로 있다 龍標尉로 폄천되었다. 안사의 난이 일어나 刺史 閭丘曉에게 피살되었다.

西峰下微雨, 向曉白雲收

서쪽 봉우리에 미우가 내리더니, 새벽 되면서 백운이 걷힌다.

遂解塵中組, 終南春可遊

마침내 티끌 속 인끈을 푸니, 종남산 봄이 놀 만하다.

齋心

女蘿覆石壁, 溪水幽濛朧

여라는 석벽을 덮었고, 시냇물은 그윽이 몽롱하다.

紫葛蔓黃花, 娟娟寒露中.

붉은 칡덩굴과 황화는, 찬 이슬 속에 곱고 곱다.

朝飮花上露, 夜臥松下風.

아침에 꽃 위의 이슬을 마시고, 밤에는 솔 아래 누워 바람 쐰다.

雲英化爲水, 光采與我同.

감로는 화하여 물이 되고, 광채는 나와 같이한다.

日月蕩精魄, 寥寥天宇空

일월이 정령을 씻어 없애, 휑하니 하늘이 비었다.

東溪玩月

月從斷山口, 遙吐柴門端.

달은 끊긴 산 어귀를 따라, 멀리 시문 끝에 토한다.

萬木分空霽, 流陰中夜攢.

수많은 나무가 나누어 하늘이 개이고, 뜬구름이 한밤중에 모인다.

光連虛象白, 氣與風露寒.

빛은 하늘에 이어져 희고, 공기는 풍로와 더불어 차다.

谷靜秋泉響, 嚴深靑靄殘.

고요한 골짜기에 가을 샘 소리, 바위 깊어 푸른 놀 흩어진다.

澄淸入幽夢, 破影抱空巒.

청징함은 깊은 꿈으로 들고, 깨어진 그림자 빈산을 안는다.

恍惚琴窓裏, 松谿曉思難.

황홀한 거문고 타는 창 속, 소나무 계곡 새벽에 근심 생각.

山中別龐十

幽娟松篠徑, 月出寒蟬鳴.

그윽한 솔 대나무 길, 달이 뜨자 쓰르라미 운다.

散髮臥其下, 誰知孤隱情.

산발하고 그 아래 누우니, 누가 알까 외로이 은거하는 정취.

吟時白雲合, 釣處玄潭淸.

읊을 때 백운이 합하고, 낚시터 깊은 못은 맑다.

瓊樹方杳靄, 鳳兮保其貞.

아름다운 나무 바야흐로 무성한데, 봉은 그 지조를 지킨다.

送東林廉上人歸廬山

石溪流已亂, 苔徑人漸微.

돌 사이 계류 이미 어지러워, 이끼 낀 길에는 사람이 점점 적어진다.

日暮東林下, 山僧還獨歸.

일모에 동림사로 내려가는데, 산승은 도리어 홀로 돌아온다.

昔爲廬峰意, 況與遠公違.

전에 여산 뜻도 위했는데, 하물며 慧遠 법사를 거스르랴.

道性深寂寞, 世情多是非.

도 닦는 마음은 깊이 적막하고, 세정은 시비가 많다.

會尋名山去, 豈復望淸輝.

때마침 명산을 찾아가는데, 어찌 다시 밝은 광휘를 바라랴.

送魏二

醉別江樓橘柚香, 江風引雨入舟涼.

취해 작별하는 강가 누각 귤과 유자 향기롭고, 강바람은 비를 끌어 배에 들어와 시원하네.

憶君遙在瀟湘月, 愁聽淸猿夢裏長

그대를 생각하니 멀리 소상 달이 있고, 수심 겨워 듣는 맑은 원숭이 울음 꿈속에 길다.

聽流人水調子

孤舟微月對楓林, 分付鳴箏與客心.

고주와 眉月은 단풍나무 숲을 마주하였는데, 쟁 소리에 객심을 부친다.

嶺色千重萬重雨, 斷絃收與淚痕深.

고개 빛은 천 겹 만 겹 비가 오고, 줄을 끊어 깊은 눈물 자국과 함께 거둔다.

芙蓉樓送辛漸

寒雨連天夜入湖, 平明送客楚山孤

찬 비 오는 하늘 따라 밤에 호수로 들어와, 날이 밝아 그대 보내니 초의 산들도 외롭네.

洛陽親友如相問, 一片氷心在玉壺

낙양의 벗들이 안부를 묻거들랑, 한 조각 얼음 마음 옥호 속에 있더라 하게.

送人歸江夏

寒江綠水楚雲深, 莫道離憂遷遠心.
찬 강 녹수에 초의 구름 깊어도, 근심을 만나면 심원한 心機도 바뀐다 말하지 마라.
曉夕雙帆歸鄂渚, 愁將孤月夢中尋.
새벽 저녁으로 쌍 돛은 악저로 돌아가는데, 수심에 고월을 꿈속에 찾는다.

送高三之桂林

留君夜飮對瀟湘, 從此歸舟客夢長.
그대를 붙들어 밤에 마시며 소상을 마주하니, 이제부터 돌아가는 배에 객지 꿈이 길겠지.
嶺上梅花侵雪暗, 歸時還拂桂花香.
고개 위 매화는 눈 맞아 어두워도, 돌아올 땐 도리어 계수나무 꽃을 털어 향기로우리.

李頎49)의 寄鏡湖朱處士

澄霽晚流闊, 微風吹綠蘋.

맑게 개어 저녁 물이 넓고, 미풍은 푸른 부평초에 분다.

鱗鱗遠峰見, 淡淡平湖春.

비늘처럼 먼 봉우리가 보이고, 담담한 넓은 호수의 봄.

芳草日堪把, 白雲心所親

방초는 날로 쥘 만하고, 백운은 마음으로 친하게 된다.

何時可爲樂, 夢裏東山人

언제나 즐길 수 있을까, 꿈속의 동산 사람.

望鳴皐山白雲寄洛陽盧主簿

翁嵸殊未已, 峻嶒忽相向.

많은 산봉우리 유달리 끊이지 않다, 험준하게 문득 서로 향한다.

皎皎橫綠林, 霏霏澹青嶂.

교교히 녹림에 비껴, 부슬부슬 푸른 산봉우리 담박하다.

---

49) (생졸년 미상). 趙郡 사람으로 하남 潁陽에서 살았다. 개원 23년 진사로 新
鄕尉를 지냈고 개원 말부터 천보까지 낙양과 장안을 떠나지 않았다. 그는
평생 펴지 못하였고 장기 은거에도 적막을 달가워하지 않아 늘 자신의 곤
궁과 실의 때문에 깊은 불안과 초조를 느꼈다.

與諸公游濟瀆泛舟

百谷趨潭底, 三光懸鏡中.
모든 골짜기 물 소 밑으로 흘러, 삼광이 거울 속에 걸렸다.
淺深露沙石, 蘋藻生虛空.
얕거나 깊게 모래와 돌이 드러나, 빈조가 허공에 자란다.
晚景臨泛美, 亭皐輕靄紅.
저녁 경치는 범주에서 아름답고, 정자 언덕엔 가벼운 놀이 붉다.
晴山傍舟楫, 白鷺驚絲桐.
갠 산 곁 주즙, 백로는 거문고에 놀란다.
霜凝遠村渚, 月淨兼葭叢.
서리는 원촌 물가에 엉기고, 달이 깨끗하여 갈대가 더부룩하다.

宿香山寺石樓

夜宿翠微半, 高樓聞暗泉.
산 중턱에서 밤을 묵으며, 높은 다락에서 어둠 속의 샘물 소리를 듣네.
漁舟帶遠火, 山磬發孤煙.
멀리 고기잡이배는 불빛을 띠었고, 산사의 경쇠 소리에 외가닥 연기 피어오르네.
衣拂雲松外, 門清河漢邊.
옷자락은 구름 솔 밖을 스치고, 다락문은 맑아 은하수의 가.

峰巒低枕席, 世界接人天.

산봉우리가 베갯머리보다 낮은, 사람과 하늘을 잇는 경계로다.

靄靄花出霧, 輝輝星映川.

뭉게뭉게 꽃은 안개 속에서 피고, 반짝반짝 별빛은 냇물에 어리는데.

東林曙鸎滿, 憫悵欲言旋.

동쪽 숲에 가득한 새벽 꾀꼬리 소리, 돌아간다 말하려니 슬퍼지네.

送盧少府赴延陵

春江連橘柚, 晚景媚菰蒲.

봄 강에 귤과 유자가 이어져, 만경에 줄과 부들이 아름답다.

漠漠花生渚, 亭亭雲過湖.

막막히 꽃은 물가에 나고, 고운 구름 호수를 지난다.

灘沙映村火, 水霧斂檣烏.

여울 모래에 마을 불이 비치고, 물 안개는 돛대 까마귀를 가린다.

送皇甫曾游襄陽山水兼謁韋太守

白雁暮衝雪, 青林寒帶霜.

흰 기러기는 저물어 눈을 헤쳐 나가고, 푸른 숲은 차 서리를 띠었다.

蘆花獨戍晚, 柑實萬家香.

노화는 유독 屯營에만 늦은데, 밀감 열매 만 집에 향기롭다.

百花亭漫漫, 一柱觀蒼蒼.

백화정은 만만하고, 일주관은 창창하다.

不調歸東川別業

寸祿言可取, 託身將見遺

촌록을 내가 취할 수 있어, 탁신할 남긴 것을 보려 한다.

慚無匹夫志, 悔與名山辭.

필부의 뜻 없음 부끄럽고, 명산을 떠난 것 후회된다.

紱冕謝知己, 林園多後時.

印綬와 冠 지기에게 고맙지만, 원림에는 후시지탄이 많다.

葛巾方濯足, 蔬食但垂帷

갈건에 이제 탁족하고, 소사에 다만 휘장만 드리웠다.

十室對河岸, 漁樵祇在玆.

여남은 집이 하안을 마주하여, 어초만이 여기에 있다.

靑郊香杜若, 白水映茅茨.

푸른 들엔 두약이 향기롭고, 백수는 모옥을 비춘다.

晝景徹雲樹, 夕陰澄古遠

낮볕은 구름과 나무를 뚫고, 석음은 옛 대로에 맑다.

渚花獨開晩, 田鶴靜飛遲

물가 꽃은 홀로 늦게 피었고, 들 학은 고요히 날아 느리다.

且復樂生事, 前賢爲我師.

또다시 삶을 즐기며, 전현을 내 스승으로 삼는다.

淸歌聊鼓楫, 永日望佳期.

청가에 애오라지 노를 두드리며, 긴 날 좋은 시절을 바란다.

送劉十

三十不官亦不娶, 時人焉識道高下.

삼십에 벼슬 않고 또 장가도 안 갔지만, 시인이 어찌 도의 고하를 알까.

房中唯有老氏經, 欄上空餘少游馬.

방 안에는 오직 노자의 경만 있고, 마판 위에는 공연히 젊어서 유람 다니던 말만 남았다.

往來嵩華與函秦, 放歌一曲前山春.

숭산 화산과 함곡관 진을 왕래하다, 한 곡조 방가에 전산은 봄.

西林獨鶴引閒步, 南澗飛泉淸角巾.

서쪽 숲 외로운 학은 한가로운 걸음을 끌고, 남쪽 산골짜기 날리는 샘물 각건에 맑다.

前年上書不得意, 歸臥東窓兀然醉.

전년의 상서 뜻을 이루지 못하고, 돌아와 동창에 누워 올연히 취한다.

送陳章甫

四月南風大麥黃, 棗花未落桐陰長.

사월 남풍에 보리가 누렇고, 대추 꽃은 아직 지지 않았고 오동잎은 자랐는데,

青山朝別暮還見, 嘶馬出門思舊鄉.

아침에 떠난 청산 저녁에 돌아보며, 문을 나서는 말도 제 고향 그리워 우네.

陳侯立身何坦蕩, 虯鬚虎眉仍大顙.

진후 그대 입신하여 얼마나 마음이 넓었던가, 용의 수염 범의 눈썹에 이마 또한 널찍하네.

腹中貯書一萬卷, 不肯低頭在草莽.

뱃속에는 쌓은 책 일만 권인데, 머리 숙이기 싫어 초야에 묻히는구나.

東門酤酒飲我曹, 心輕萬事皆鴻毛.

동문에서 술을 사서 우리에게 먹이고, 마음에는 만사가 다 새털같이 가벼워.

醉臥不知白日暮, 有時空望孤雲高.

술에 취해 누우면 해 지는 줄 모르다가, 때로는 부질없이 높은 고운을 바라보네.

長河浪頭連天黑, 津口停舟渡不得.

시커먼 장강 파도는 하늘에 잇닿아, 나루에 배를 매어 건너갈 수 없으리.

鄭國游人未及家, 洛陽行子空嘆息.

정나라 나그네는 아직 집에 못 갔는데, 낙양의 떠돌이가 부질없이 한숨짓네.

聞道故林相識多, 罷官昨日今如何?

듣자니 고향에는 아는 이가 많다는데, 어제 벼슬을 그만두고 오늘은 어떠할까.

野老曝背

百歲老翁不種田,
백세 노옹 농사일은 하지 않고,
唯知曝背樂殘年.
오직 등에 볕을 쬐며 남은 나이를 즐길 줄만 안다.
有時捫虱獨搔首,
때로 이를 잡으며 홀로 머리를 긁다가,
目送歸鴻籬下眠.
눈으로 돌아가는 기러기를 보내다 울타리 밑에서 잔다.

送魏萬之京

朝聞游子唱離歌, 昨夜微霜初渡河.
아침에 나그네의 이별가를 들었는데, 어젯밤에 엷은 서리 황하를 처음 건너왔네.
鴻雁不堪愁裏聽, 雲山況是客中過.
시름 속에 기러기 소리 차마 못 듣겠거니, 더구나 여행 중 구름 낀 산을 지나감에야.
關城樹色催寒近, 御苑砧聲向晚多.
관성의 나무 빛이 가까워진 추위를 재촉하니, 어원의 다듬이소리 저녁 되면서 많아지네.

莫見長安行樂處, 空令歲月易蹉跎.

장안의 유원지를 보지 말게, 헛되이 세월을 보내 때 놓치기 쉬우니.

李白[50]의 游泰山 6

捫天摘匏瓜, 恍惚不憶歸.

하늘을 더듬어 박을 따고, 황홀하여 돌아갈 생각을 못한다.

擧手弄淸淺, 誤攀織女機

손을 들어 은하를 갖고 놀다, 그릇 직녀의 베틀을 당긴다.

---

50) (701~762). 자는 太白, 본적은 隴西 成紀(지금의 감숙 天水 부근)이다. 그
선대는 隋 말 유랑하다 서역에 이르렀다. 이백은 당 안서도호부 발하시호
남쪽 碎葉(지금의 카자흐스탄 발하시호 남쪽)에서 태어났다. 5세 때 부친
을 따라 綿州 彰明縣(지금의 사천 江油縣)으로 왔다.
조년에 蜀中에서 독서하고 자유롭게 유람했다. 25세 때 촉을 나와 의협을
행하고 도를 찾으며 교유하고 알현을 구하며 동정, 금릉, 양주, 양양, 낙양,
태원 등지를 만유했고 東魯에 은거한 적도 있다. 천보 초 도사 吳筠의 추
천으로 황제의 부름을 받아 장안으로 가 翰林이 되어 황제를 받들었다. 그
러나 권귀에 용납되지 못했고 또 참언으로 중상을 받아 3년 뒤 현종에게
금을 하사 받고 방환되었다.
장안을 떠난 뒤 梁, 宋에서 10년 동안이나 객거하였는데, 그 사이에 북쪽
으로 燕, 趙에 이르고 서쪽으로 邠, 岐를 건넌 적이 있으며 낙양과 齊, 魯
사이를 왕래하였다. 754년, 吳越로 이거했다.
안사의 난이 일어나 이백은 盧山에 은거하다 永王 璘의 부름을 받고 군막
에 들어갔는데, 능히 난을 평정하여 나라에 보답하기를 바랐다. 그러나 곧
영왕 인은 그의 형 숙종에게 진압되고 이백도 潯陽 옥에 갇혀 이듬 해 멀
리 夜郎으로 유배 가는 도중에 사면되었다. 또 다시 史朝義를 정토하러 가
는 李光弼의 군대에 참가하러 가다 도중에 병 때문에 되돌아왔다. 62세로
그의 족숙 當涂(지금의 안휘 당도현)令 李陽氷의 처소에서 병사하였다.

登太白峰

太白與我語, 爲我開天關.

태백성이 나에게 말하기를, 나를 위해 천문을 연다 한다.

願乘泠風去, 直出浮雲間.

원컨대 맑은 바람을 타고 가, 곧바로 부운 사이로 나가고 싶어라.

舉手可近月, 前行若無山.

손을 들면 달에 닿을 듯하고, 앞으로 가면 산이 없는 것 같으리.

安陸白兆山桃花巖寄劉侍御綰

樹雜日易隱, 崖傾月難圓.

나무가 얽혀 해가 숨기 쉽고, 낭떠러지가 경사져 달이 둥글기 어렵다.

芳草換野色, 飛蘿搖春煙.

방초는 들 빛을 바꾸고, 높은 담쟁이 봄 연기를 흔드네.

涇溪南藍山下有落星潭

藍岑聳天壁, 突兀如鯨額.

남빛 봉우리 하늘을 찌르는 절벽에 솟아, 돌올하기 고래 이마 같다.

奔騰橫澄潭, 勢呑落星石.

내달아 맑은 못을 가로질러, 기세가 낙성담 돌을 삼키네.

望廬山瀑布

歘如飛電來, 隱若白虹起.

느닷없이 번개가 날아 치고, 위엄 있게 흰 무지개가 일어나네.

海風吹不斷, 江月照還空.

해풍은 불어 끊이지 않고, 강월은 비추어 허공으로 돌아간다.

空中亂潈射, 左右洗靑壁.

공중에 어지럽게 흘러들어 쏘아, 좌우로 푸른 절벽을 씻네.

廬山謠

廬山秀出南斗傍, 屛風九疊雲錦張.

여산은 남두 곁에 솟아나, 아홉 겹 병풍대엔 비단 구름 펼치어.

影落明湖靑黛光.

그림자 맑은 호수에 비추어 검푸르게 빛나네.

金闕前開二峰長, 銀河倒挂三石梁.

석문산 앞에는 향로봉과 쌍검봉 솟아 있고, 은하수는 삼첩천에 거꾸로 걸려 있네.

香爐瀑布遙相望, 回崖沓嶂凌蒼蒼.

멀리 향로봉의 폭포를 바라보니, 꾸불꾸불한 절벽과 깎아지른 산봉우리 하늘을 찌르고.

翠影紅霞映朝日, 鳥飛不到吳天長.

푸른 산 붉은 놀에 아침 해가 비치는데, 새도 날아가지 못하는 먼 오나라 하늘.

登高壯觀天地間, 大江茫茫去不還.

높은 산에 올라 보는 천지의 이 장관, 대강은 아득히 흘러가서는 돌아오지 않구나.

黃雲萬里動風色, 白波九道流雪山.

만 리의 누런 구름 경치를 바꾸고, 아홉 갈래 흰 물결은 설산에서 흐르네.

西嶽雲臺歌

西嶽崢嶸何壯哉! 黃河如絲天際來

서악은 험준하여 얼마나 웅장한지! 황하는 실같이 하늘가에서 온다.

黃河萬里觸山動, 盤渦轂轉秦地雷.

황하 만 리 산에 부딪쳐 움직이고, 소용돌이 바퀴통이 굴러 진 땅엔 우레소리.

榮光休氣紛五彩, 千年一淸聖人在

광채와 佳氣로 오채가 엉켜, 천년에 한번 맑아져 성인이 난다.

巨靈咆哮劈兩山, 洪波噴流射東海.

황하의 신령이 포효하여 두 산을 뻐개, 큰 물결 뿜어 흘러 동해로 쏟아진다.

三峰却立如欲摧, 翠崖丹谷高掌開.

삼봉은 뒤로 물러나 서 막으려는 듯, 비취색 낭떠러지 붉은 골짜기엔 선인장을 폈다.

蜀道難

噫吁戲, 危乎高哉! 蜀道之難, 難於上靑天

아유, 위험하고도 높도다! 촉으로 통하는 길의 험난함은, 푸른 하늘에 오르는 것보다도 어렵도다.

蠶叢及魚鳧, 開國何茫然

잠총과 어부 같은 임금이, 이 땅에 나라를 연 게 얼마나 아득한 옛날이었던가?

爾來四萬八千歲, 不與秦塞通人煙

그 뒤로 사만 팔천년, 진나라 요새와도 사람들의 왕래가 없었다.

西當太白有鳥道, 可以橫絶蛾眉巓

서쪽으로 태백산 향하여 새나 다닐 길이 나 있어서, 아미산 꼭대기를 가로지를 수 있게 되어 있다.

地崩山摧壯士死, 然後天梯石棧相鉤連

이 길 내느라 땅 무너지고 산 부서져서 여러 장사들이 죽었는데, 그리고 나서야 공중에 걸친 사다리와 바위 쪼아 만든 길로 서로 연하여지게 된 거라네.

上有六龍回日之高標, 下有衝波逆折之回川.

위로는 해를 끄는 여섯 마리 용도 돌아가야 하는 높은 표적 같은 봉우리 있고, 아래로는 물결이 부딪치어 거꾸로 굽이치는 꾸불꾸불한 하천이 있네.

黃鶴之飛尙不得過, 猿猱欲度愁攀援.

황학이 난다 해도 넘어갈 수가 없고, 원숭이들이 건너려 하더라도 부여잡고 의지할 것을 걱정하리라.

靑泥何盤盤, 百步九折縈巖巒.

청니령은 어찌나 꾸불꾸불한지, 백 발자국에 아홉 번 꺾이며 바위 뿌리 감돌아야 하니.

捫參歷井仰脅息, 以手撫膺坐長嘆.

삼성을 만지고 정성을 스쳐 가며 우러러 숨을 죽이고, 손으로 가슴을 치며 앉아서 긴 한숨 뿜게 되네.

問君西遊何時還, 畏途巉巖不可攀.

그대에게 묻노니 서쪽 촉 땅엘 갔다가 언제 돌아오겠는가? 두려운 길과 높은 바위는 부여잡을 곳도 없네.

但見悲鳥號古木, 雄飛雌從繞林間.

다만 슬픈 새들 고목에서 울며, 수컷이 날면 암컷 뒤쫓으며 숲 사이를 맴도는 게 보이고,

又聞子規啼夜月, 愁空山.

또 두견새 밤 달 보고 울며, 텅 빈 산 걱정하는 소리만이 들리네.

蜀道之難, 難於上靑天, 使人聽此凋朱顏.

촉으로 통하는 길의 험난함은, 푸른 하늘에 오르는 것보다도 어려우니, 사람들은 이런 말 들으면 혈기 좋은 붉은 얼굴 시들게 되네.

連峰去天不盈尺, 枯松倒挂倚絶壁.

연이은 봉우리들은 하늘과의 거리가 한 자도 못될 듯하고, 말라 죽은 소나무 넘어져 절벽에 걸쳐 있네.

飛湍瀑流爭喧豗, 砯崖轉石萬壑雷.

날아 떨어지는 여울물과 사나운 흐름은 시끄럽게 울리고, 절벽에 부딪치고 돌을 굴리는 물은 여러 골짜기에 우레 소리 같네.

其險也若此, 嗟爾遠道之人胡爲乎來哉!

그 험난함이 이와 같거늘, 아아, 그대 먼 길을 온 사람은 무엇 때문에 여길 왔는가!

劍閣峥嶸而崔嵬, 一夫當關, 萬夫莫開.

검각 우뚝우뚝 높이 솟아 있어, 한 사람이 관문 막으면, 만 사람으로도 열 수가 없네.

所守或匪親, 化爲狼與豺.

그곳 지키는 사람이 친한 이가 아니라면, 이리나 승냥이 같은 존재가 되어 버리네.

朝避猛虎, 夕避長蛇, 磨牙吮血, 殺人如麻.

아침이면 사나운 호랑이 피해야 하고, 저녁이면 긴 뱀 피해야만 하니, 이를 갈며 피를 빨고, 사람 죽이기를 삼대 쓰러뜨리듯 한다네.

錦城雖云樂, 不如早還家.

성도가 비록 즐겁다지만, 일찍이 집으로 돌아감만 못할 걸세.

蜀道之難, 難於上靑天, 側身西望長咨嗟.

촉으로 통하는 길의 험난함은, 푸른 하늘에 오르는 것보다도 어려우니, 몸을 기울이며 서쪽 바라보고 긴 한숨짓게 되네.

夢遊天姥吟留別

海客談瀛洲, 煙濤微茫信難求.

바다 나그네가 말하는 영주는, 안개 낀 물결 아득하여 찾기 어렵네.

越人語天姥, 雲霞明滅或可覩.

월나라 사람이 말하는 천모산은, 구름과 무지개가 명멸하여 간혹 볼 수 있다.

天姥連天向天橫, 勢拔五岳掩赤城.

천모산은 하늘에 닿아 반궁에 비껴 있어, 오악보다 높은 기세 적성을 가리었다.

天台四萬八千丈, 對此欲倒東南傾.

사만팔천 장의 그 높은 천태산도, 이와 마주하여 동남으로 기울어 넘어지려 하네.

我欲因之夢吳越, 一夜飛度鏡湖月.

나는 이런 생각으로 꿈에 오월 노닐려고, 하룻밤에 경호 달을 날아서 지나갔다.

湖月照我影, 送我至剡溪.

호수의 달은 내 그림자 비추어, 나를 섬계까지 보내네.

謝公宿處今尚在, 淥水蕩漾淸猿啼.

사공이 머무른 곳 지금도 여전하고, 맑은 물 고운 물결 원숭이의 울음 맑다.

脚著謝公屐, 身登靑雲梯.

나는 사공의 나막신 신고, 구름사다리로 올라갔네.

半壁見海日, 空中聞天雞.

절벽 중간에는 바다 해가 보이고, 하늘 닭소리 공중에서 들리네.

千巖萬轉路不定, 迷花倚石忽已暝.

하도 많은 바위와 골짜기라 바로 난 길이 없어, 꽃 속을 헤매다 바위에 기대다 어느새 해 저문다.

熊咆龍吟殷巖泉, 慄深林兮驚層巔.

곰의 포효와 용의 울음소리 바위샘에 울리어, 깊은 숲을 뒤흔들고 높은 산을 다 울린다.

雲靑靑兮欲雨, 水澹澹兮生煙.

짙푸른 구름은 비를 쏟을 듯, 맑은 물에는 연기 생긴다.

列缺霹靂, 丘巒崩摧

벼락이 쳐, 산천이 무너지네.

洞天石扉, 訇然中開.

동천의 돌문이, 큰 소리로 열리니.

靑冥浩蕩不見底, 日月照耀金銀臺.

푸른 하늘 넓고 멀어 그 끝을 볼 수 없고, 해와 달은 금은 대를 환히 비춘다.

霓爲衣兮風爲馬, 雲之君兮紛紛而來下.

무지개로 옷을 삼고 바람으로 말을 삼아, 구름 속의 신인들은 성대하게 내려오네.

虎鼓瑟兮鸞回車, 仙之人兮列如麻.

호랑이는 비파 치고 난새는 수레 타고, 선인들 벌려 있어 삼밭의 삼대 같네.

忽魂悸以魄動, 怳驚起而長嗟.

갑자기 놀란 혼백, 일어나 길게 탄식하네.

惟覺時之枕席, 失向來之煙霞.

깨어나자 본래의 그 잠자리뿐, 아까의 그 연하는 볼 수 없구나.

世間行樂亦如此, 古來萬事東流水.

세간의 즐거움도 모두 이와 같나니, 예부터 모든 일은 동으로 흐르는 물이
려니.

別君去兮何時還?

그대를 떠나거니 언제나 다시 올꼬?

且放白鹿靑崖間, 須行卽騎訪名山.

우선 벼랑 사이에 흰 사슴 기르다가, 달리려면 그것 타고 명산을 찾으리라.

安能摧眉折腰事權貴, 使我不得開心顏.

어찌 굽실거리어 권귀를 섬기면서, 내 마음과 얼굴을 펴지 못하게 하리.

下終南山過斛斯山人宿置酒

暮從碧山下, 山月隨人歸.

해 저물어 푸른 산을 내려오니, 산의 달도 사람 따라 돌아오네.

却顧所來徑, 蒼蒼橫翠微

지나온 길 되돌아보니, 아득히 산안개 피어오르네.

相携及田家, 童稚開荊扉.

반갑게 손잡고 농가에 들어가니, 어린아이 나와서 사립문을 열고.

綠竹入幽徑, 靑蘿拂行衣.

어둑한 초록 대밭 길로 들어서니, 푸른 등 넝쿨이 옷깃을 스치네.

歡言得所憩, 美酒聊共揮.

즐거운 이야기로 편히 쉬면서, 좋은 술을 따라 함께 마시네.

長歌吟松風, 曲盡河星稀.

긴 노래로 솔바람을 읊어, 가락 끝내자 은하수도 드물어졌네.

我醉君復樂, 陶然共忘機.

나는 취하였고 그대도 즐거워, 거나하여 함께 세속을 잊네.

訪戴天山道士不遇

犬吠水聲中, 桃花帶露濃.

물소리 속에 개가 짖고, 복사꽃은 이슬을 띠어 짙네.

樹深時見鹿, 溪午不聞鐘.

숲이 깊어 때로 사슴을 보고, 한낮의 계곡에는 종소리가 들리지 않네.

野竹分靑靄, 飛泉挂碧峰.

들 대나무 푸른 놀을 가르고, 폭포수는 푸른 봉우리에 걸렸네.

無人知所去, 愁倚兩三松.

간 곳을 아는 사람 없어, 쓸쓸히 두세 그루 소나무에 기대어보네.

聽蜀僧濬彈琴

蜀僧抱綠綺, 西下蛾眉峰.

촉나라 스님이 이름난 거문고 녹기를 안고, 서쪽으로 아미산을 내려와.

爲我一揮手, 如聽萬壑松.

나를 위해 한 곡조 타니, 만 골짜기 솔바람 소리를 듣는 듯.

客心洗流水, 遺響入霜鍾.

흐르는 물은 나그네 마음 씻어주고, 여향은 서리 내린 밤의 종소리로 드네.

不覺碧山暮, 秋雲暗幾重

청산에 해 저무는 줄 몰랐더니, 가을 구름 겹겹이 어둠이 깔리네.

金陵城西樓月下吟

金陵夜寂凉風發, 獨上高樓望吳越

금릉의 밤은 고요한데 싸늘한 바람이 일고, 홀로 높은 누각에 올라 오월 지방을 바라보네.

白雲映水搖空城, 白露垂珠滴秋月.

흰 구름은 물에 비쳐 빈 성과 함께 움직이고, 흰 이슬은 드리운 구슬처럼 가을 달빛 아래 방울지네.

月下沈吟久不歸, 古來相接眼中稀.

달 아래 길게 읊으며 오래도록 돌아가지 않으니, 고금의 잇따른 일들이 눈 안에 드물게 남네.

解道澄江淨如練, 令人長憶謝玄暉.

맑은 강물은 곱기가 비단 같다는 시구가 떠올라, 옛 시인 사조를 또 생각나게 하네.

寄韋南陵氷

月色醉遠客, 山花開欲燃.
월색은 원객을 취하게 하고, 산화는 피어 타려 한다.
春風狂殺人, 一日劇三年.
춘풍은 사람을 미쳐 나게 하니, 하루가 삼년보다 어렵네.

渡荊門送別

渡遠荊門外, 來從楚國游.
멀리 형문산 밖 나루를 건너니, 지금부터 초나라 유람길.
山隨平野盡, 江入大荒流.
산들은 평야를 따라 끝나고, 장강은 대평원으로 흘러든다.
月下飛天鏡, 雲生結海樓.
달은 내려와 직녀의 거울 되고, 구름은 일어 해변에 누각을 짓는다.
仍憐故鄕水, 萬里送行舟.
어여쁜 고향 물은, 만 리 뱃길을 바래주네.

獨坐敬亭山

衆鳥高飛盡, 孤雲獨去閒.
새들은 모두 높이 날아가 버리고, 외로운 구름만 홀로 한가로이 떠가는데.
相看兩不厭, 只有敬亭山.
서로 마주 보아도 싫증나지 않는 것은, 단지 너 경정산뿐.

送友人入蜀

見說蠶叢路, 崎嶇不易行.
말을 들으니 잠총 길은, 기구하여 쉽게 갈 수 없다 하네.
山從人面起, 雲傍馬頭生.
산이 바로 코앞에 솟는가 하면, 구름이 말 머리에서 일기도 한다지.
芳樹籠秦棧, 春流繞蜀城.
진나라 잔교는 아름다운 나무들로 둘러싸이고, 성도에는 봄 강물 감돌아 가리.
升沈應已定, 不必問君平.
성쇠란 이미 정해진 것이거늘, 엄군평에게 물어볼 것까지야.

望廬山瀑布

日照香爐生紫煙, 遙看瀑布挂前川.
향로봉에 해가 비쳐 안개가 서리는데, 바라보니 폭포가 앞 시내에 걸려 있네.
飛流直下三千尺, 疑是銀河落九天
물줄기 날아서 삼천 척을 떨어지니, 하늘에서 은하수가 쏟아지는 듯.

望天門山

天門中斷楚江開, 碧水東流至此回.
천문산 허리를 끊고 초강이 길을 열어, 푸른 물 동쪽으로 흐르다 여기 와 굽이도네.
兩岸靑山相對出, 孤帆一片日邊來
양안 청산은 마주 보고 서 있는데, 외로운 돛배 하나 하늘에서 내려오나.

早發白帝城

朝辭白帝彩雲間, 千里江陵一日還
채운 속 백제성을 아침에 떠나, 강릉 천리 길을 하루에 돌아드니.

兩岸猿聲啼不住, 輕舟已過萬重山.

양안의 원숭이 울음소리 끊임없는데, 가벼운 배 어느새 만 겹 산을 다 지났네.

蛾眉山月歌

蛾眉山月半輪秋, 影入平羌江水流.

아미산머리 가을 밤 반달은, 평강강 물결에 그림자 들여 흐르네.

夜發淸溪向三峽, 思君不見下渝州.

밤에 청계를 떠나 삼협으로 향하느니, 그리운 임 못 만난 채 유주로 내려가네.

杜甫51)의 望岳

岱宗夫如何? 齊魯靑未了.

태산은 대체 어떠한가? 제와 노 지방까지 푸름이 그지없어.

造化鍾神秀, 陰陽割昏曉.

조물주가 신령스러운 조화를 모아놓았고, 응달과 양달로 어둠과 밝음을 갈라놓았네.

蕩胸生層雲, 決眥入歸鳥.

층구름 퍼지니 가슴이 설레고, 눈 끝 저 멀리 새들이 날아드네.

會當凌絶頂, 一覽衆山小.

반드시 최고봉에 올라 앉아, 뭇 산들이 얼마나 작은가를 보리라.

---

51) (712~770). 자는 子美, 본적은 襄陽인데 후에 鞏縣(지금의 하남 공현)으로 이주했다. 청년 시절에 오월, 齊, 魯를 만유했다. 35세에 장안에 가 벼슬을 구했으나 뜻을 이루지 못하였다. 이 후 장안에서 10년 동안 가난에 시달리며 살았다.
안사의 난중 그는 백성들과 함께 유랑하였고 안녹산 군의 포로가 되어 장안에 왔다 후에 빠져나가 숙종 조정에서 左拾遺를 맡았다. 곧 華州司功參軍으로 폄천되었다.
759년, 벼슬을 버리고 秦州, 同谷을 거쳐 촉에 들어와 성도에 초당을 지었다. 2년 반 후 蜀中 군벌들이 혼전하는 바람에 梓州, 閬州로 유랑했다. 성도로 돌아온 뒤 嚴武가 표를 올려 節度參謀, 檢校工部員外郞이 되었다. 엄무가 죽은 뒤 두보는 성도를 떠나 남하하여 이듬 해 夔州에 이르러 객지에 2년 머물렀다. 57세 때 사천을 나와 岳州, 潭州, 衡州 일대를 유랑하였다. 대력 5년(770), 湘水 위에서 병사하니 향년 59세였다.

渼陂行

岑參兄弟皆好奇, 携我遠來遊渼陂.

잠삼 형제는 호기심이 많아, 나를 끌고 멀리 미파로 놀러 갔지.

天地黯慘忽異色, 波濤萬頃堆琉璃.

천지가 캄캄해지더니 갑자기 색깔을 바꿔, 만경의 파도는 유리가 쌓인 듯.

琉璃漫汗泛舟入, 事殊興極憂思集.

유리가 질펀한데 배를 띄워 들어가니, 상황이 바뀌어 흥이 극에 이르니 근심이 모여들데.

鼉作鯨吞不復知, 惡風白浪何嗟及.

악어가 노는지 고래가 삼키는지 도무지 알 수가 없어, 고약한 바람에 흰 파도를 말로 다 못하겠네.

主人錦帆相爲開, 舟子喜甚無氛埃.

주인의 비단 돛이 펼쳐지니, 뱃사공은 먼지 하나 없는 날씨에 무척 기쁜 듯.

鳧鷖散亂棹謳發, 絲管啁啾空翠來.

물오리에 갈매기 어지러이 날고 뱃노래가 시작되고, 현악이며 관악이며 울려 퍼질 때 산 냄새가 풍겨오는구나.

沈竿續蔓深莫測, 菱葉荷花淨如拭.

낚싯대가 잠겨 낚싯줄 이어도 깊이를 알 수 없고, 마름 잎이며 연꽃은 씻은 듯이 말쑥하구나.

宛在中流渤澥淸, 下歸無極終南黑.

호수 가운데는 발해만큼이나 맑고, 아래쪽은 끝이 없이 종남산만 검구나.

半陂已南純浸山, 動影裊窕冲融間.

반파 남쪽으로는 산을 물고 있는데, 그 그림자 흔들흔들 녹아드는 듯.

船舷暝戞雲際寺, 水面月出藍田關.

뱃전엔 어둑어둑 운제사가 보이고, 물 위론 남전관에 달이 돋는다.

此時驪龍亦吐珠, 馮夷擊鼓群龍趨.

이때 검은 용도 구슬을 토하며, 빙이의 북소리에 뭇 용들이 달려간다.

湘妃漢女出歌舞, 金支翠旗光有無.

상강의 후비며 한나라의 여인이 나와 춤을 추는가, 금빛 장대 푸른 깃발은 번쩍번쩍.

咫尺但愁雷雨至, 蒼茫不曉神靈意.

가깝게 근심스러운 건 소낙비가 올까 하는 것, 신령의 뜻은 아득해서 알 수가 없네.

少壯幾時奈老何, 向來哀樂何其多.

젊음이 얼마나 가나 늙은 걸 또 어찌할 수 있나, 여태껏 슬픔이며 기쁨이며 사연은 또 얼마큼이었던가.

夜宴左氏莊

林風纖月落, 衣露靜琴張.

나무숲에 바람 이는데 초승달 넘어가고, 옷섶에 이슬 젖자 거문고 줄 느슨해져.

暗水流花徑, 春星帶草堂.

어둠 속의 개울물 꽃길로 흐르는데, 봄의 별들은 초당을 에워쌌구려.

檢書燒燭短, 看劍引杯長.

서책을 점검하느라 초 자루 닳리고, 칼춤을 구경하느라 잔 잡기를 오래 해.

詩罷聞吳咏, 扁舟意不忘.

지은 시구 놓고서 읊는 오나라 가락, 조각배 탔던 생각 새삼 되살아나누나.

題張氏隱居　2

之子時相見, 邀人晚興留.

그대와 때로 서로 만나면, 사람을 맞아 흥으로 늦게까지 붙잡네.

霽潭鱣發發, 春草鹿呦呦.

갠 못엔 드렁허리 힘차게 뛰고, 봄풀엔 사슴이 우네.

杜酒偏勞勸, 張梨不外求.

두강주를 곁에서 수고롭게 권하고, 장씨집 배는 밖에서는 못 구한다네.

前村山路險, 歸醉每無愁.

앞마을 산길이 험하지만, 취하여 돌아갈 때마다 걱정할 것 없어라.

同諸公登慈恩寺塔

秦山忽破碎, 涇渭不可求.

진산은 문득 산산조각 났고, 경수와 위수는 보이지도 않네.

俯視但一氣, 焉能辯皇州.

내려다보면 한결같아, 어떻게 황주를 알아낼 수 있으랴.

白水崔少府十九翁高齋三十韻

坐久風頗怒, 晚來山更碧.

오래 앉아 있으니 바람이 자못 세져, 해질녘 산이 더욱 푸르고.

相對十丈蛟, 欻翻盤渦坼.

열 길이나 되는 교룡을 마주 대하니, 느닷없이 뒤집어 소용돌이를 가르네.

何得空裏雷, 殷殷尋地脉.

어째서 허공 속의 우레는 우르르 우르르하며 지맥을 찾을까.

煙氛靄崷崒, 魍魎森慘戚.

높은 산에 연무 자욱하니, 도깨비가 삼연히 무섭네.

崑崙崆峒巓, 回首如不隔.

곤륜산 공동산 꼭대기가 돌아보니 멀지 않은 것 같고.

前軒頹反照, 巉絶華岳赤.

앞 난간에 반사되는 석양빛에 깎아지른 화산이 붉네.

兵氣漲林巒, 川光雜鋒鏑.

병마 기운이 산 숲에 가득 차 내 빛이 병기와 섞였네.

知是相公軍, 鐵馬雲霧積.

이는 상공 군대임을 알겠으니 철마가 운무같이 에워쌌네.

白帝城最高樓

城尖徑仄旌旆愁, 獨立縹緲之飛樓.
성루는 뾰족 길은 꼬불꼬불 깃대는 아슬아슬, 아스라이 우뚝
세워져 나는 높은 다락.
峽坼雲霾龍虎臥, 江淸日抱黿鼉游.
터진 골짜기의 구름은 용호가 누웠고, 맑은 강은 해를 안아 악어 떼가 노네.
扶桑西枝對斷石, 弱水東影隨長流
부상의 서쪽가지 깎아지른 벼랑에 엉켰고, 약수의 그림자는 장강을 따라 동
으로 흐르네.
杖藜嘆世者誰子? 泣血迸空回白頭
명아주 지팡이 짚고 세상을 개탄하는 자 뉘인고? 피눈물 흘리며 하늘에 솟
구쳐 센 머리를 돌리네.

白帝

白帝城中雲出門, 白帝城下雨翻盆.
백제성 속의 구름이 문을 나와, 성 아래는 비가 동이를 엎은 듯하네.
高江急峽雷霆鬪, 古木蒼藤日月昏.
높은 강 깎아지른 협곡에선 우레가 싸우고, 고목과 푸른 덩굴에는 해와 달
도 희미하네.
戎馬不如歸馬逸, 千家今有百家存.

전마는 돌아가 편히 쉬는 말만 못하니, 천 호 집들이 지금은 백 호밖에 안 남았네.

哀哀寡婦誅求盡, 慟哭秋原何處村?

슬프다 과부들은 모두 다 빼앗겨, 가을 들판에서 통곡하니 어디가 마을인가?

絶句漫興九首　1

眼見客愁愁不醒, 無賴春色到江亭.

눈으로 나그네의 시름을 보니 시름이 가시지 않건만, 얄미운 봄빛은 강가 정자에 이르렀네.

卽遣花開深造次, 便敎鶯語太丁寧.

곧바로 잠깐 사이에 꽃을 활짝 피우고, 문득 꾀꼬리 소리가 아주 애틋하게 하네.

2

手種桃李非無主, 野老墻低還是家.

손수 도리를 심었으면 임자 없는 것이 아니니, 시골 늙은이네 담장 밑도 역시 집안이라오

恰似春風相欺得, 夜來吹折數枝花

마치 봄바람이 서로를 속여먹는 것 같이, 밤에 바람 불어 꽃 몇 가지를 꺾

어 놓았네.

絶句四首 3

兩個黃鸝鳴翠柳, 一行白鷺上靑天
한 쌍 꾀꼬리 푸른 버들 숲에 울고, 한 줄기 백로는 푸른 하늘에 높네.
窓含西嶺千秋雪, 門泊東吳萬里船.
창문은 서령의 천년설을 머금고, 문 앞엔 동오의 만 리 배가 정박했네.

送嚴侍郞到綿州同登杜使君江樓宴

重船依淺瀨, 輕鳥渡層陰.
무거운 배는 얕은 여울을 의지하고, 가벼운 새는 층층 그늘을 지나가네.
檻峻背幽谷, 窓虛交茂林
난간이 높아 깊은 골짜기를 뒤로 했고, 창이 비어 무성한 숲과 섞였네.
燈光散遠近, 月彩靜高深.
등불 빛은 원근에 흩어졌고, 달빛은 높은 곳 깊은 곳에 고요하네.

曲江 1

一片花飛減却春, 風飄萬点正愁人.

꽃잎 하나 떨어져도 봄빛이 줄어들거늘, 바람에 우수수 지는 꽃잎 정녕 남의 애를 끊나니.

且看欲盡花經眼, 莫厭傷多酒入脣.

이제 다 졌으려니 하였는데 꽃잎 하나 눈앞을 스치니, 술이 몸에 해롭다고 어찌 마시지 않을쏘냐.

江上小堂巢翡翠, 苑邊高塚臥麒麟.

강가의 작은 집엔 물총새가 둥지를 틀고, 동산의 높은 언덕엔 기린이 누워 있네.

細推物理須行樂, 何用浮名絆此身.

곰곰이 자연의 이치를 생각하면 모름지기 한껏 즐길지니, 어찌 허망한 명예 때문에 이 몸을 얽매리오.

絶句二首 1

遲日江山麗, 春風花草香.

긴긴 해 강산은 아름답고, 봄바람 불어라 풀꽃 내여.

泥融飛燕子, 沙暖睡鴛鴦.

개흙이 풀리어 제비는 날고, 모래 벌 따사로워 원앙이 조네.

江畔獨步尋花七絶句

黃四郞家花滿蹊, 千朶萬朶壓枝低.

황씨네 넷째 집 꽃이 좁은 길에 가득하여, 천 송이 만 송이 가지가 늘어졌네.

留連戱蝶時時舞, 自在嬌鶯恰恰啼.

계속 머무르며 노는 나비는 때때로 춤추고, 아리따운 꾀꼬리는 자유롭게 꾀꼴꾀꼴 우네.

春水

三月桃花浪, 江流復舊痕.

삼월 복사꽃 물결에, 강줄기는 옛 흔적을 도로 찾고.

朝來沒沙尾, 碧色動柴門.

아침 되면서 모래 밭 끝이 다 잠기어, 푸른빛이 사립문을 움직이네.

接縷垂芳餌, 連筒灌小園.

실을 이어 향기로운 미끼를 드리우고, 대롱을 이어 채소밭에 물을 대네.

已添無數鳥, 爭浴故相喧.

벌써 많은 새들이 더해, 다투어 목욕하며 부러 서로 시끄럽게 하네.

漫成一首

江月去人只數尺, 風燈照夜欲三更.
강월은 사람의 지척에 떠 있고, 바람에 흔들리는 등불만 한밤을 비추네.
沙頭宿鷺聯拳靜, 船尾跳魚潑剌鳴.
모래밭 머리에 해오라기는 떼 지어 웅크리고 조용히 자는데, 배꼬리의 물고기들이 팔딱팔딱 뛰는 소리.

鐵堂峽

峽形藏堂隍, 壁色立精鐵.
협곡의 형세는 커다란 전당 속에 들어 있는 것 같고, 석벽의 빛깔은 잘 다듬어진 쇠가 서 있는 것 같네.
徑摩穹蒼蟠, 石與厚地裂.
길은 하늘 가까이 서려 있고, 돌은 두꺼운 땅을 가르고 끼여 있네.
修纖無限竹, 嵌空太始雪.
길고 가는 대가 끝이 없고, 산굴에는 태곳적 눈이 있네.

345

寒峽

雲門轉絶岸, 積阻霾天寒.
운문에서 절벽을 도니, 겹겹이 험준한데다 날씨는 흐리고 춥네.
寒峽不可度, 我實衣裳單.
한협은 건널 수 없는데, 나는 홑옷을 입었네.
況當仲冬交, 泝沿增波瀾.
하물며 동짓달 윗물 아랫물에 파란이 더할 때를 당해서야.

青陽峽

林廻硤角來, 天窄壁面削.
협곡 끝은 숲이 둘러 있고, 하늘이 좁아 석벽 면을 깎았네.
磎西五里石, 奮怒向我落.
시내 서쪽 오리석이, 분노하여 나를 향해 떨어지는 듯.
仰看日車側, 俯恐坤軸弱.
쳐다보면 해가 비껴 지나가고, 내려다보니 지축이 약할까 무섭네.
魑魅嘯有風, 霜霰浩漠漠.
도깨비의 휘파람 소리에 바람이 불고, 서리와 싸락눈 자욱이 뿌리네.

白沙渡

天寒荒野外, 日暮中流半.
황야 밖 날씨는 추운데, 해는 중류 반쯤에서 지네.
我馬向北嘶, 山猿飮相喚.
내 말은 북녘을 향해 울고, 산 원숭이는 물을 마시며 서로 부르네.
水淸石礧礧, 沙白灘漫漫.
물이 맑아 돌이 아주 많고, 흰 모래 여울은 잔잔히 흐르네.
高壁抵嵚崟, 洪濤越凌亂.
높은 절벽은 우뚝 솟은 산에 닿고, 큰 파도는 출렁이며 넘네.

水會渡

微月沒已久, 崖傾路何難.
조각달마저 진 지 이미 오래되어, 언덕 비탈길이 자못 어렵네.
大江動我前, 洶若溟渤寬.
큰 강이 내 앞에 넘실대니, 흉용하여 바다처럼 넓네.
霜濃木石滑, 風急手足寒.
서리가 많아 나무나 돌이 미끄럽고, 바람이 세 손발이 차네.
入舟已千憂, 陟巘仍萬盤.
배에 올라서는 천 가지 걱정이더니, 산봉우리에 오르니 만 봉우리 산이 이
어져 서려 있네.

回眺積水外, 始知衆星乾.

겹겹 물 밖을 돌아보고서야, 뭇 별이 젖지 않았음을 알았네.

桔柏渡

靑冥寒江渡, 篤竹爲長橋.

검푸른 찬 강나루에, 대나무를 걸쳐 긴 다리를 놓았네.

竿濕煙漠漠, 江水風蕭蕭.

자욱한 물안개에 낚싯대 젖고, 강물 위로 바람은 솔솔.

連笻動嫋娜, 征衣颯飄颻.

대 다리는 간들거리고, 나그네 옷깃은 바람에 날리네.

飛仙閣

土門山行窄, 微徑緣秋毫.

토문산 길이 좁아, 가는 길이 가을 털처럼 이어졌네.

棧雲闌干峻, 梯石結構牢.

잔도에 구름은 많고도 높고, 계단 돌은 결구가 단단하네.

萬壑欹疏林, 積陰帶奔濤.

만학엔 성긴 숲이 기울었고, 겹겹 물은 닫는 물결을 띠었네.

寒日外澹泊, 長風中怒號.

추운 날은 누각 밖은 맑고, 누각 안은 거센 바람이 노호하네.

歇鞍在地底, 始覺所歷高.

말을 쉬면서 땅 아래서야, 높은 곳을 지나왔음을 알았네.

龍門閣

清江下龍門, 絶壁無尺土.

맑은 강이 용문으로 흘러, 절벽엔 한줌 흙도 없네.

長風駕高浪, 浩浩自太古.

거센 바람은 높은 물결을 가로지르고, 호호하기 태고로부터이네.

危途中縈盤, 仰望垂線縷.

아슬아슬한 길이 산중에 얼기설기 서리어, 쳐다보니 실오라기 드리운 것 같네.

滑石欹誰鑿? 浮梁裊相柱.

기울어져 미끄러운 돌에 누가 구멍을 파놓았는고? 부교는 간들간들 맞물려 버티네.

目眩隕雜花, 頭風吹過雨.

눈은 아찔하여 잡화를 떨구고, 머리께 바람 일어 지나가는 비에 부네.

百年不敢料, 一墜哪得取!

백년 인생을 감히 헤아리지 못하리니, 한번 떨어지면 어찌 다시 바라리오!

石櫃閣

冬季日已長, 山晩半天赤.
섣달 해가 이미 길어져, 산 노을에 한쪽 하늘이 붉네.
蜀道多草花, 江間饒奇石.
촉 길에는 화초가 많고, 강에는 기석이 흔하네.
石櫃層波上, 臨虛蕩高壁.
돌 궤는 층층이 물결 위, 높은 절벽 허공에 매달려 흔들리네.
清暉回群鷗, 暝色帶遠客.
맑은 햇빛에 갈매기 떼 돌아오고, 석양 어두운 빛은 먼 길 나그네를 비추네.

法鏡寺

神傷山行深, 愁破崖寺古.
깊은 산길을 가자니 정신이 아찔하고, 산기슭에 옛 절을 보고서 걱정을 푸네.
蟬娟碧蘚淨, 蕭摵寒籜聚.
뜨락의 아름다운 파란 이끼 조촐하고, 사르르 흔들리는 찬 대 꺼풀 한데 모이네.
回回山根水, 冉冉松上雨.
산 밑 시냇물은 휘돌아 굽이져 흐르고, 소나무의 물방울 이따금 비처럼 떨어지네.

洩雲蒙淸晨, 初日翳復吐.

맑은 새벽이라 퍼지는 구름이 끼고, 돋아나는 해는 가물가물하다가 치솟네.

朱甍半光炯, 戶牖粲可數.

붉은 기왓골이 반쯤 반짝이니, 환해서 문살까지도 헤아리겠네.

旅夜書懷

細草微風岸, 危檣獨夜舟.

봄풀이 야들한 강둑의 가만한 바람, 높은 돛대 오롯하다 밤은 외로워.

星垂平野闊, 月涌大江流.

별은 넓은 들판에 드리웠고, 달은 큰 강에서 둥실 솟아나네.

名豈文章著, 官應老病休.

명성이 어찌 문장으로 드러나랴, 벼슬은 늙고 병들어 쉬는 판이네.

飄飄何所似, 天地一沙鷗.

떠도는 이 신세 무엇과 같은가, 천지를 나니는 모래 위 갈매기여.

禹廟

禹廟空山裏, 秋風落日斜.

우왕의 사당이 쓸쓸한 산 속에 있어, 가을바람에 해질 무렵.

荒庭垂橘柚, 古屋畵龍蛇.

351

황폐한 뜰에는 귤이 대롱대롱 매달렸고, 낡은 사당 벽에는 용이 그려져 있네.

雲氣噓靑壁, 江聲走白沙.

산허리에는 구름이 뭉게뭉게 피어나고, 하얀 모래 위를 소쿠라지는 강물 소리.

早知乘四載, 疏鑿控三巴.

일찍이 네 해 동안 수레 위에서, 강산을 뚫어 삼파의 강물을 소통하신 분인데.

登岳陽樓

昔聞洞庭水, 今上岳陽樓.

예전에 들어온 동정의 물이러니, 이제야 올라와 본 악양루로세.

吳楚東南坼, 乾坤日夜浮.

오와 초는 동과 남으로 망망 틔었고, 하늘과 땅이 밤과 낮에 둥둥 떴구나.

親朋無一字, 老病有孤舟.

친척과 벗은 편지도 한 장 없고, 늘그막에 만 리 밖 외로운 배라니.

戎馬關山北, 憑軒涕泗流.

고향 산 북녘은 여직 난리판이라, 난간에 비기니 눈물이 하염없네.

登高

風急天高猿嘯哀, 渚淸沙白鳥飛回.

바람은 세고 하늘 높아 잔나비 울음 구슬픈데, 강물 맑고 모래 희고 철새들은 날아도네.

無邊落木蕭蕭下, 不盡長江滾滾來.

떨어지는 나뭇잎 끝없이 우수수 떨어지고, 저 강물 다할세라 치렁치렁 흘러가누나.

萬里悲秋常作客, 百年多病獨登臺.

만 리 밖 슬픈 가을 항상 나그네요, 평생에 하고많은 병 높은 대에 혼자 올라.

艱難苦恨繁霜鬢, 潦倒新停濁酒杯.

고생살이 절어나니 허연 수염 한스럽고, 늙은 주제 역겨워라 술잔마저 놓았다네.

韋應物[52]의 廣德中洛陽作

生長太平日, 不知太平歡.

태평한 날에 생장하여, 태평의 기쁨을 모른다.

今還洛陽中, 感此方苦酸.

이제 낙양으로 돌아오는 가운데, 이를 느껴 바야흐로 괴롭다.

飮藥本攻病, 毒腸翻自殘.

음약은 본디 병을 다스리려는 것인데, 장을 해쳐 도리어 스스로를 해친다.

王師涉河洛, 玉石俱不完.

왕사가 황하와 낙수를 건넜으니, 옥석이 다 불완전하다.

---

52) (737~792). 신, 구당서에 전기가 없다. 북조 逍遙公 韋夐의 후손으로 고조
   韋冲은 수에서 戶部尙書를 지냈고 義豊公에 봉해졌다. 위씨는 대대로 대족
   이었으나 부친 韋鑾 대에 가세는 소조해졌다. 위응물은 예술 수양이 풍부
   한 가정에서 생장했다.
   15~20세에 현종의 侍衛가 되었다. 20세 무렵 안사의 난이 터져 三衛에서
   물러나 태학에서 독서하였다. 27세가 넘어 洛陽丞이 되었으나 곧 벼슬을
   버리고 한거하였다. 38세 전후 京兆府功曹에 임명되었고 高陵宰를 대행하
   였으며 鄠縣令으로 전임되었다. 櫟陽令에 제수되었으나 병으로 사직하고
   장안 서교 灃上 善福寺에 한거하였다. 45세에 比部員外郎으로 임명되었고
   2년 뒤 滁州刺史로 나갔다. 49세에 면직되어 江州 자사로 전임되었다 뒤에
   조정에 들어가 左司郎中이 되었고 또 蘇州 자사로 나갔다가 해임된 뒤 소
   주의 시골 불사에 한거하였다.

寄暢當

丈夫當爲國, 破敵如摧山.
장부는 마땅히 나라를 위해, 산을 꺾을 듯이 적을 쳐부숴야지.
何必事州府, 坐使鬢毛斑.
하필 고을을 섬겨, 앉아서 귀밑털을 희게 하랴.

高陵書情寄三原盧少府

兵凶久相踐, 徭賦豈得閑.
전란의 禍難 오래 서로 밟아, 요역에 어찌 한가로우랴.
促戚下可哀, 寬政身致患.
급박함에 아랫사람 민망스럽고, 관정은 자신에게 화를 부른다.
日夕思自退, 出門望故山.
일석에 자퇴를 생각하고, 문을 나와 고산을 바라본다.

答崔都水

甿稅況重疊, 公門極熬煎.
백성의 세금 더욱 중첩되어, 관아의 문 매우 볶인다.

責逋甘首免, 歲晏當歸田.

포흠 독촉에 목숨 면함 달게 여기니, 세밑엔 전원으로 돌아가야지.

始至郡

斯民本樂生, 逃逝竟何爲.

이 백성은 본래 삶을 즐기거늘, 도망은 필경 무엇 때문인가.

旱歲屬荒歉, 舊逋積如坻.

해가 가물어 흉작에 속해도, 옛 포흠은 고개처럼 쌓였다.

擬古詩十二首 7

蘭蕙雖可懷, 芳香與時息.

혜란이 비록 마음에 품을 만하지만, 방향은 때에 따라 그친다.

豈如凌霜葉, 歲暮藹顔色.

어찌 서리를 가벼이 여기는 잎의 세모에 우거진 안색과 같으랴.

草木知賤微, 所貴寒不易.

초목이 미천한 줄 알지만, 추위에 바꾸지 않아 귀염을 받는다.

觀田家

微雨衆卉新, 一雷驚蟄始.

이슬비에 화초들은 싱그럽고, 한번 우레 소리 경칩을 알리니.

田家幾日閒, 耕種從此起.

농가가 며칠이나 한가할까, 밭 갈고 씨 뿌리고 이제 시작이네.

丁壯俱在野, 場圃亦就理.

장정들은 모두 들에 있다, 남새밭도 가꾸고.

歸來景常晏, 飮犢西澗水.

언제나 저물어 돌아올 때는, 서쪽 개울에서 송아지에게 물을 먹이네.

飢劬不自苦, 膏澤且爲喜.

굶주림과 고된 일도 괴롭다 않고, 흡족한 단비만 반가울 뿐.

倉廩無宿儲, 徭役猶未已.

창고에는 묵은 곡식 한톨 없는데, 요역은 오히려 그치지 않네.

方慚不耕者, 祿食出閭里.

밭 갈지 않는 자 부끄러우니, 녹과 밥이 마을에서 나온다네.

效陶彭澤

霜露悴百草, 時菊獨姸華.

무서리에 풀들은 시들고, 제철 만난 국화 홀로 곱네.

物性有如此, 寒暑其奈何.

357

물성은 이와 같으니, 한서를 어이 하랴.

掇英泛濁醪, 日入會田家.

꽃잎 따다 막걸리에 띄우고, 해가 지면 농가에 모여.

盡醉茅簷下, 一生豈在多.

처마 아래 한껏 취하니, 인생이 어찌 번거로움에 있으리오

九日灃上作寄崔主簿倬二李端繫

翠嶺明華秋, 高天澄遙滓.

푸른 고개 고운 가을에 밝고, 높은 하늘 먼 혼탁에 맑다.

川寒流愈迅, 霜交物初委.

냇물이 차 흐름이 더욱 빠르고, 서리 섞여 물이 처음 시든다.

林葉索已空, 晨禽迎飆起.

숲 나뭇잎은 흩어져 이미 비었고, 새벽 새는 바람을 맞아 일어난다.

時菊乃盈泛, 濁醪自爲美.

제철 국화가 이에 활짝 피어, 탁주가 절로 맛나다.

西郊養疾聞暢校書有新什見贈久佇不至先寄此詩

養病愜清夏, 郊園敷卉木.

양병에는 맑은 여름이 맞은데, 성 밖 원림에 초목이 퍼졌다.

窗夕含澗涼, 雨餘愛筠綠
저녁 창은 산골의 서늘함을 머금었고, 비 뒤에 푸른 대가 사랑스럽다.

南塘泛舟會元六昆季

微風飄襟散, 橫吹繞林長
미풍은 나부껴 옷깃을 흩트리고, 비껴 숲을 둘러 길게 분다.

雲澹水容夕, 雨微荷氣涼
구름 담박하여 물은 저녁을 담고, 비 가늘어 연 기운 서늘하다.

秋郊作

淸露澄境遠, 旭日照林初.
맑은 이슬 먼 곳에 맑고, 욱일은 숲에 처음 비춘다.

一望秋山淨, 蕭條形迹疏
일망 가을 산은 깨끗하여, 소조한 형적이 성기다.

登原忻時稼, 采菊行故墟
언덕에 올라 제철 곡식을 기뻐하고, 국화 따라 옛터에 간다.

方願沮溺耦, 淡泊守田廬
이제 원컨대 장저 걸익과 짝지어, 담박하게 전가를 지켰으면.

幽居

微雨夜來過, 不知春草生.

간밤에 이슬비 내렸으니, 봄풀이 돋았는지 모르겠네.

靑山忽已曙, 鳥雀繞舍鳴.

청산에 갑자기 날이 새니, 새들이 집 둘러싸고 우네.

東郊

吏舍跼終年, 出郊曠淸曙.

일 년 내내 관청 일에 매여 있다가, 교외로 나가 맑은 새벽 맞이하니.

楊柳散和風, 靑山澹吾慮.

버드나무는 부드러운 바람을 흩고, 청산은 내 생각을 담박하게 하네.

依叢適自憩, 緣澗還復去.

우거진 숲 밑에 쉬어도 보고, 맑은 시냇가를 거닐어도 보니.

微雨靄芳原, 春鳩鳴何處.

아름다운 들은 이슬비에 젖는데, 봄 비둘기는 어디쯤에서 우는가.

樂幽心屢止, 遵事迹猶遽.

유거를 즐기는 마음 자주 억누르는 것은, 공사를 갑자기 버릴 수 없기에.

終罷斯結廬, 慕陶眞可庶.

결국 여기에 초당 지으면, 도공을 그리던 뜻 거의 이루리.

郡內閒居

棲息絶塵侶, 孱鈍得自怡.
서식하여 속세 벗을 끊고, 나약과 둔함이 스스로 기쁨을 이룬다.
腰懸竹使符, 心與廬山緇.
허리에는 대나무 부절을 차고, 마음은 여산과 더불어 검다.

縣齋

仲春時景好, 草木漸舒榮.
중춘 시절 경치가 좋아, 초목이 점점 불어 무성해진다.
公門且無事, 微雨園林淸.
관아의 문에는 일이 없고, 미우는 원림에 맑다.
決決水泉動, 忻忻衆鳥鳴.
샘물은 넘쳐흐르기 시작하고, 흔흔히 뭇 새들 지저귄다.
閒齋始延矚, 東作興庶甿.
조용한 관사에서 비로소 목을 늘여 주시하다, 동쪽으로 가 농민들을 진흥
한다.
卽事玩文墨, 抱沖披道經.
일에 나아가 문묵으로 완미하고, 공허함을 품고 도경을 편다.
於焉日淡泊, 徒使芳尊盈.
어언 날이 담박하여, 괜히 아름다운 술그릇을 채운다.

新理西齋

方將服訟理, 久翳西齋居.

방장 백성의 송사를 처리하고, 오래 서재에 숨어 지낸다.

草木無行次, 閒暇一芟除.

초목은 오행의 위차가 없어, 한가롭게 하나같이 베어 없앤다.

春陽土脈起, 膏澤發生初.

봄볕이 지맥을 일으켜, 고택이 처음 발생한다.

養條刊朽蘖, 護藥鋤穢蕪.

가지를 키우려고 썩은 움을 베고, 약초를 지키려고 우거진 잡초를 맨다.

稍稍覺林簉, 歷歷忻竹疏.

점점 숲이 솟아오름을 느끼고, 역력히 대나무가 늘어남을 기뻐한다.

始見庭宇曠, 頓令煩抱舒.

비로소 정원이 빔을 보고, 갑자기 번민을 품어 편다.

茲焉卽可愛, 何必是吾廬.

이것이 곧 사랑스러우니, 하필 내 집뿐이랴.

晚歸灃川

適意在無事, 携手望秋田.

무사함이 뜻에 맞아, 손을 잡고 가을 들을 바라본다.

南嶺橫爽氣, 高林繞遙阡.

남쪽 고개에 상기가 비껴, 높은 숲이 먼 언덕을 둘렀다.

野廬不鋤理, 翳翳起荒煙.

시골집이 김매어 다스리지 않아, 어스레 황야의 연무가 이는구나.

授衣還田里

晨起懷愴恨, 野田寒露時.

새벽에 일어나 슬픈 원망을 품으니, 전야는 한로 시절.

氣收天地廣, 風凄草木衰.

기운 걷혀 천지는 넓고, 바람이 차 초목이 쇠약하다.

山明始重疊, 川淺更逶迤.

산은 밝아 비로소 중첩되고, 내는 얕아져 다시 구불구불.

煙火生閭里, 禾黍積東菑.

연화는 마을에서 나오고, 화서는 동쪽 따비밭에 쌓였다.

燕居卽事

蕭條竹林院, 風雨叢蘭折.

소조한 죽림 뜰, 풍우에 난초 떨기가 꺾인다.

幽鳥林上啼, 靑苔人跡絶.

조용한 곳에서 사는 새는 숲 위에서 울고, 푸른 이끼에는 인적이 끊겼다.

燕居日已永, 夏木紛成結.

연거한 날이 이미 길어, 여름 나무는 꽃 피고 열매 맺었다.

几閣積群書, 時來北窓閱.

책장에 뭇 서적 쌓아 두고, 때로 북창에서 본다.

寓居澧上精舍寄于張二舍人

萬木叢雲出香閣, 西連碧澗竹林園.

많은 나무떨기 구름에 솟은 향각, 서쪽으로 碧溪 죽림 동산에 이어졌다.

高齋猶宿遠山曙, 微霰下庭寒雀喧.

높은 집에 아직 묵어 원산은 새벽인데, 가는 싸라기 뜰에 내려 추운 참새 시끄럽다.

道心淡泊對流水, 生事蕭疏空掩門.

도심은 담박하게 유수를 대하고, 삶은 소소한데 괜히 문을 닫았다.

時憶故交那得見, 曉排閶闔奉明恩.

때로 옛 친구를 생각하나 어찌 볼 수 있을까, 새벽에 궁문에 늘어서 밝은 은혜를 받들겠지.

與韓庫部會王祠曹宅作

閒門蔭堤柳, 秋渠含夕淸.
조용한 문은 둑 버들에 가렸고, 가을 도랑은 저녁의 맑음을 머금었다.
微風送荷氣, 坐客散塵纓.
미풍은 연 기운을 보내고, 앉은 손님은 때 묻은 갓끈을 흩트린다.

答李博士

簷雛已颺颺, 荷露方蕭颯.
처마의 새 새끼는 이미 날아오르고, 연 이슬은 바야흐로 소삽하다.
夢遠竹窓幽, 行稀蘭徑合.
꿈은 그윽한 죽창에 멀고, 행인이 드물어 난초 길이 합해졌다.

滁州園池燕元氏親屬

日暮遊淸池, 疏林羅高天
일모에 맑은 못에서 노는데, 성긴 숲이 높은 하늘에 늘어섰다.
餘綠飄霜露, 夕氣變風煙.
남은 조개풀 상로에 나부끼고, 저녁 기운 풍연으로 변한다.

遊溪

野水煙鶴唳, 楚天雲雨空.

들 물 연하 속에 학이 울고, 초의 하늘은 운우가 비었다.

玩舟淸景晚, 垂釣綠蒲中.

범주에 맑은 경치 저물어, 푸른 부들 속에 낚싯대를 드리운다.

落花飄旅衣, 歸流澹淸風.

낙화는 나그네 옷에 나부끼고, 바다로 돌아가는 하류에는 청풍이 담박하다.

緣源不可極, 遠樹但靑葱.

수원을 좇아 이를 수 없고, 먼 나무는 다만 푸릇푸릇.

登西南岡卜居遇雨尋竹浪至澧需縈帶數里淸流茂樹雲物可賞

登高創危構, 林表見川流.

높은 곳에 올라와 높은 집을 지어, 숲 겉으로 하류가 보인다.

微雨颯已至, 蕭條川氣秋.

보슬비가 솨하고 이윽고 이르러, 소조한 시내는 가을 기운.

下尋密竹盡, 忽曠沙際遊.

아래로 빽빽한 대숲을 찾아 다하고, 돌연 빈 모래밭 가에서 논다.

紆曲水分野, 綿延稼盈疇.

꼬불꼬불한 물은 들을 나누고, 이어져 뻗은 곡식은 밭에 가득하다.

寒花明廢墟, 樵牧笑榛丘.

늦가을 꽃은 폐허에 밝고, 나무꾼과 목동은 덤불 언덕에서 웃는다.

雲水成陰澹, 竹樹更淸幽.

구름과 물이 그늘 져 담담하게 되어, 대와 나무가 다시 맑고 그윽하다.

適自戀佳賞, 復茲永日留.

마침 스스로 좋은 구경을 그려, 다시 여기에 긴 날을 머문다.

滁州西澗

獨憐幽草澗邊生, 上有黃鸝深樹鳴.

인적 없는 물가엔 고운 꽃 홀로 피고, 깊은 숲속 나무에는 꾀꼬리가 우네.

春潮帶雨晚來急, 野渡無人舟自橫.

비를 머금은 봄 조수 저녁 되면서 빠른데, 나루터엔 아무도 없고 빈 배만 떠 있네.

煙際鐘

隱隱起何處, 迢迢送落暉.

은은히 어디에선가 일어나, 멀리 낙일을 보낸다.

蒼茫隨思遠, 蕭散逐煙微.

아득히 생각을 따라 멀어졌다가, 한한하게 연기를 쫓아 가늘어진다.

秋野寂云晦, 望山僧獨歸.

가을 들은 고요하고 어두운데, 산을 바라보니 스님 홀로 돌아간다.

寄全椒山中道士

今朝郡齋令, 忽念山中客.

오늘 아침 관사가 썰렁해지자, 홀연 산중의 나그네가 생각나네.

澗底束荊薪, 歸來煮白石.

개울가로 나가 땔감을 묶고, 돌아와 백석을 삶겠지.

欲持一瓢酒, 遠慰風雨夕.

한 병 술을 가지고 가, 비바람 치는 저녁을 위로해주고 싶지만,

落葉滿空山, 何處尋行跡?

빈산엔 낙엽만 가득 하리니, 어디 가서 행적을 찾는담.

自鞏洛州行入黃河卽事寄府縣僚友

夾水蒼山路向東, 東南山豁大河通.

물을 끼고 청산 길은 동쪽으로 향해, 동남에서 산이 트여 대하로 통한다.

寒樹依微遠天外, 夕陽明滅亂流中.

늦가을 나무는 어렴풋이 하늘 밖에 멀고, 석양은 난류 가운데 명멸한다.

孤村幾歲臨伊岸, 一雁初晴下朔風.

고촌은 몇 해나 伊河 언덕을 마주하였던고 한 기러기 막 개어 삭풍에 내려

온다.

爲報洛橋遊宦侶, 扁舟不繫與心同.

낙양교 벼슬살이 하는 벗에게 알리고자 하노니, 편주는 내 마음처럼 매이지 않았다네.

贈盧嵩

百川注東海, 東海無虛盈.

모든 냇물이 동해로 흘러도, 동해는 비거나 차지 않는다.

泥滓不能濁, 澄波非益淸.

진흙탕은 더 흐려질 수 없고, 맑은 물결은 더 맑아질 수 없다.

恬然自安流, 日照萬里晴.

염연히 절로 편안히 흐르고, 해가 만 리를 비추어 개었다.

雲物不隱象, 三山共分明.

경물은 형상을 숨기지 않아, 삼산이 함께 분명하다.

奈何疾風怒, 忽若砥柱傾

어찌하여 질풍은 성내는고. 문득 중류의 지주가 기우는 듯.

海水雖無心, 洪濤亦相驚.

해수가 비록 무심해도, 큰 물결은 또한 서로 놀란다.

怒號在倐忽, 誰識變化情.

노호가 순간에 있으니, 누가 변화의 정을 알까.

聽嘉陵江水聲寄深上人

鑿崖泄奔湍, 稱古神禹跡.
낭떠러지를 뚫고 여울이 흘러나오는데, 옛 신기로운 우 임금의 자취라고
한다.
夜喧山門店, 獨宿不安席.
밤에 산문 객점이 시끄러워, 독숙에 자리가 편하지 않다.
水性自云靜, 石中本無聲.
물의 성질은 스스로 고요하고, 돌 속에는 본디 소리가 없는데.
如何兩相激, 雷轉空山驚.
어찌하여 둘이 서로 부딪치면, 우뢰가 굴러 빈 산을 놀라게 할까.
貽之道門舊, 了此物我情.
도문의 친구에게 주어, 이 물아의 정을 깨우친다.

西塞山

勢從千里奔, 直入江中斷.
세가 천리를 따라 달려, 곧장 강 가운데로 들어가 끊겼다.
嵐橫秋塞雄, 地束驚流滿.
남기는 가을 변방에 비껴 웅장하고, 땅은 격류를 묶어 가득하다.

柳宗元⁵³⁾의 田家 1

蓐食徇所務, 驅牛向東阡.

이부자리에서 밥 먹고 할 일을 좇아, 소를 몰아 동쪽 밭둑으로 향한다.

鷄鳴村巷白, 夜色歸暮田.

계명에 촌항이 밝고, 야색에 저문 밭에서 돌아온다.

札札耒耜聲, 飛飛來烏鳶.

싹싹 쟁기 소리, 펄펄 날아오는 까마귀와 솔개.

竭茲筋力事, 持用窮歲年.

이 일에 근력을 다해, 어려운 해들을 견디어낸다.

盡輸助徭役, 聊就空自眠.

정성을 다해 요역을 돕고, 애오라지 짬을 내 스스로 존다.

---

53) (773~819). 자는 子厚, 본적은 河東(지금의 산서 永濟縣)이다. 21세에 진사
에 급제하고 26세에는 博學宏詞科에 합격하여 선후 集賢殿書院正字, 監察
御史裏行 등 직에 임명되었다.
805년, 그는 王伾, 劉禹錫 등과 함께 정치 혁신을 주장하는 王叔文 일당에
참가하여 禮部員外郞으로 승진하였다. 왕숙문은 당 순종 영정 때, 집정 7
개월도 안되었지만 탐관오리를 면직하고 과중하고 잡다한 세금을 면제하
며 궁중이 민간 시장에 파견한 환관이 억지로 백성의 재물을 뺏는 宮市들
을 단속하고 번진이 농단하던 소금과 철의 중계 운송 권을 중앙으로 회수
하는 등 일련의 개혁 조치들을 실행하였다. 그러나 개혁은 곧 환관과 조정
보수 세력의 타격을 받았고 왕숙문은 피살되었다. 王伾는 핍박받아 죽고
유종원, 유우석 등 8인은 먼 변방 주군에 司馬로 폄천되었으니, 이것이 바
로 역사상 유명한 "二王八司馬事件"이다.
유종원은 永州 임지 10년간 가슴 가득 쌓인 울분을 산수에 기탁하여 문장
에 담는 수밖에 없었다. 815년, 京師로 소환되어 다시 柳州 자사로 전임되
었다. 그는 유주 임지에서 대책을 강구하여 본지 백성들을 도와 저당 잡혀
노예가 된 자녀들을 속전으로 구출하게 해주고 湘南에서 가르침을 구하러
온 많은 사인들을 전심전력으로 지도하였다.

子孫日以長, 世世還復然.
자손은 날로 자라도, 대대로 도리어 다시 그 모양.

2

籬落隔煙火, 農談四隣夕.
울타리 너머로 밥 짓는 연기, 농사 얘기로 사린이 모인 저녁.
庭際秋虫鳴, 疏麻方寂歷.
마당가에선 가을 풀벌레 울고, 드문드문한 삼대가 쓸쓸하네.
蠶絲盡輸稅, 機杼空倚壁.
누에 실은 모두 세금으로 바치니, 베틀은 쓸데없어 벽에 세워 두었네.
里胥夜經過, 鷄黍事筵席.
이장이 밤에도 돌아다니니, 닭 잡고 기장밥 지어 술상을 차리는데.
各言官長峻, 文字多督責.
다 말하기를 관장은 엄하기만 하여, 공문이란 으레 독촉장이라네.
東鄕後租期, 車轂陷泥澤.
동쪽 마을에선 세금 기일을 놓쳐, 수레바퀴가 진흙에 빠진 듯 꼼짝 못하게 되었네.
公門少推恕, 鞭朴恣狼藉.
관청에선 사정 봐주고 용서하는 일 없어, 함부로 곤장을 쳐 피범벅이 되었으니.
努力愼經營, 肌膚眞可惜.
힘써 일을 해 나감에 조심하라, 살갗은 참으로 아까운 것.

迎新在此歲, 唯恐踵前迹.

한해를 살아남아 새해를 맞는다 해도, 오직 지난 자취 또 밟을까 두렵네.

3

古道饒茨藜, 縈回古城曲.

낡은 길섶엔 찔레덩굴이 우거져, 옛 성 모퉁이에 휘감겨 있네.

蓼花被堤岸, 陂水寒更綠.

여뀌 꽃은 방죽 위를 뒤덮었고, 못 물은 차갑고도 푸르네.

是時收穫竟, 落日多樵牧.

이젠 수확도 다 끝나서, 석양엔 나무꾼과 목동이 많네.

風高楡柳疏, 霜重梨棗熟.

바람이 높아 느릅나무와 버들 잎 성기고, 서리 짙어 배와 대추가 익네.

行人迷去住, 野鳥競棲宿.

나그네는 갈 길을 분간 못하고, 들새는 다투어 잠자리로 깃드네.

田翁笑相念, 昏黑愼原陸.

늙은 농부 웃으며 염려해주는 말, 어둠에 들길을 조심해야지요

今年幸少豊, 無厭饘與粥.

올해는 다행히 다소 풍년인 셈이니, 된 죽이든 묽은 죽이든 싫다 말고 드시지요.

首春逢耕者

南楚春候早, 餘寒已滋榮.

남쪽 초에 봄 기후가 일러, 여한이 이미 풀렸다.

土膏釋原野, 百蟄競所營.

땅이 기름져 원야를 풀고, 온갖 칩충은 다투어 집을 짓는다.

綴景未及郊, 穡人先耦耕.

얽힌 경치 성 밖에 이르지 않았는데, 농부는 먼저 나란히 밭을 간다.

園林幽鳥轉, 渚澤新泉清.

원림에는 조용한 곳에서 사는 새가 지저귀고, 물가 못에는 새 샘물이 맑다.

農事誠素務, 羈囚阻平生.

농사가 참된 본업이라, 매여 갇혀 평생 허덕인다.

故池想蕪沒, 遺畝當榛荊.

옛 못은 잡초 우거져 덮이려 하고, 내버려 둔 이랑은 가시나무가 덮었다.

慕隱既有繫, 圖功遂無成.

은거를 선망하지만 이미 매여 있어, 공을 꾀해도 마침내 이룸이 없다.

聊從田父言, 款曲陳此情.

애오라지 농부의 말을 좇아, 관곡히 이 정을 말한다.

眷然撫耒耜, 回首煙雲橫.

안쓰러워 쟁기를 어루만지다, 머리를 돌리니 연운이 비꼈다.

溪居

曉耕翻露草, 夜榜響溪石.

새벽에 밭을 가니 반짝이는 풀 이슬, 밤에 노를 저으며 듣는 계곡 물소리.

來往不逢人, 長歌楚天碧.

오고 가도 만나는 사람 없으니, 긴 노랫소리에 초의 하늘은 푸르네.

游石角過小嶺至長烏村

曠望少行人, 時聞田鶴鳴.

넓은 조망에 행인은 적고, 가끔 들 황새 울음 들린다.

風篁冒水遠, 霜稻浸山平.

바람 부는 대밭 물에 닿기 멀고, 늦벼 산을 범해 평평하다.

酬曹侍御過象縣見寄

破額山前碧玉流, 騷人遙駐木蘭舟.

파액산 앞에는 벽옥 같은 물이 흐르고, 시인은 멀리 목란 배에 머무르네.

春風無限瀟湘意, 欲采蘋花不自由.

봄바람에 소상의 뜻이 끝이 없어, 갈대꽃을 꺾고자 하나 자유스럽지 못하네.

法華寺石門精舍三十韻

道同有愛弟, 披拂恣心賞.

도가 같은 사랑하는 아우가 있어, 헤쳐 털고 마음껏 구경한다.

松谿紛篠入, 石棧矗緣上.

소나무 계곡에 깊숙이 들어가, 돌 잔교에 매달려 올라간다.

蘿葛綿層甍, 莓苔侵標牓.

닦쟁이덩굴과 칡은 겹 대마루에 얽혔고, 이끼가 표방을 덮었다.

密林互對聳, 絶壁儼雙敞.

밀림이 서로 마주 보고 솟아, 절벽은 엄연히 양쪽으로 탁 트였다.

塹峭出蒙籠, 墟險臨滉瀁.

가파르게 파여 몽롱하게 나와, 험한 비탈이 깊고 넓은 물에 임했다.

稍疑地脈斷, 悠若天梯往.

점점 지맥이 끊기는가 싶더니, 멀리 하늘 사다리가 가는 듯.

結構罩群崖, 迴環騙萬象.

결구가 뭇 낭떠러지를 싸고, 돌고 돌아 만상을 쫓는다.

游朝陽巖遂登西亭二十韻

高巖瞰淸江, 幽窟潛神蛟.

높은 바위 청강을 내려다보고, 깊은 굴에는 신기로운 교룡이 숨었다.

開曠延陽景, 迴薄攢林梢.

환히 트여 햇볕이 들고, 둘러싸 나무 끝이 모였다.

西亭構其巓, 反宇臨呀寥.

서쪽 정자는 그 산꼭대기에 지어, 飛檐이 높고 광활함에 임했다.

登蒲州石磯望橫江口潭島深迴斜對香零山

隱憂倦永夜, 凌霧臨江津.

남모르는 걱정에 긴 밤이 고달픈데, 짙은 안개는 강나루에 임했다.

猿鳴稍已疏, 登石娛淸淪.

원숭이 울음 점점 이미 드물고, 바위에 올라 맑은 잔물결을 즐긴다.

日出洲渚靜, 澄明晶無垠.

일출에 모래톱이 고요한데, 맑고 밝아 끝없이 하얗다.

浮暉翻高禽, 沈景照文鱗.

뜬 빛은 높이 나는 새를 뒤집고, 가라앉은 볕은 물고기를 비춘다.

孤山乃北峙, 森爽棲靈神.

두 강물은 돌아나가 서쪽으로 달리는데, 이상야릇하게 대지의 징조가 잠겼다.

孤山乃北峙, 森爽棲靈神.

고산은 북쪽에 우뚝 솟아, 넓게 우거져 신령이 깃들인다.

洄潭或動容, 島嶼疑搖振.

돌아 흐르는 沼는 움직였다 조용해, 도서가 움직이는 듯하다.

構法華寺西亭

竄身楚南極, 山水窮險艱.

초의 남쪽 끝에 귀양 오니, 산수가 아주 험난하다.

步登最高寺, 蕭散任疏頑.

걸어서 가장 높은 절에 오르니, 한산하여 데면데면하고 완고함에 맡긴다.

西垂下斗絕, 欲似窺人寰.

서쪽 가는 斗星 아래 끊겨, 마치 인간 세상을 엿보려고 하는 듯.

反如在幽谷, 榛翳不可攀.

도리어 유곡에 있는 것 같아, 우거진 덤불을 더위잡을 수 없다.

命童恣披翦, 葺宇橫斷山.

아이를 시켜 마음대로 헤쳐 자르게 하니, 초가가 끊긴 산에 비꼈다.

割如判清濁, 飄若升雲間.

청탁을 나누듯 가르고, 구름 사이에 오르듯 나부낀다.

遠岫攢衆頂, 澄江抱淸灣.

먼 산봉우리는 뭇 꼭대기를 모으고, 맑은 강은 깨끗한 물굽이를 안았다.

夕照臨軒墮, 棲鳥當我還.

석조는 난간에 임해 떨어지고, 깃들이는 새는 나의 돌아옴에 맞춘다.

南磵中題

秋氣集南磵, 獨遊亭午時.
가을 깊은 남간 물가에, 나 홀로 노닐다가 한낮이 되었네.

迴風一蕭瑟, 林影久參差.
회오리바람은 한결 소슬하고, 나무 그림자 여기저기 드리웠네.

始至若有得, 稍深遂忘疲.
오자마자 처음부터 맘에 들더니, 조금 지나 피로를 잊네.

羈禽響幽谷, 寒藻舞淪漪.
길 잃은 철새 소리 깊은 골짝에 울리고, 찬 마름 잔물결에 춤추듯 떠가네.

去國魂已遠, 懷人淚空垂.
이미 나라를 떠나 떠도는 넋이련만, 부질없이 임을 그리며 눈물 흘리네.

孤生易爲感, 失路少所宜.
외로운 삶이라 느끼기 쉽고, 길 잃은 몸이라 마음에 들 일 없네.

索寞竟何事, 徘徊只自知.
삭막함이란 도대체 무엇인가, 배회하며 스스로를 벗 삼아야지.

誰爲後來者, 當與此心期.
훗날 누가 있어, 내 마음 알아줄까.

再至界圍巖水簾遂宿巖下

發春念長違, 中夏欣再覩.

초봄에 영별을 생각하였더니, 한여름에 기쁘게 다시 본다.

是時植物秀, 杳若臨懸圃.

이 때 식물은 빼어나, 묘연히 선경에 이른 듯.

歊陽訝垂氷, 白日驚雷雨.

뜨거운 햇볕에 드리운 얼음 의아스럽고, 백일 뇌우에 놀란다.

笙簧潭際起, 鸛鶴雲間舞.

생황 소리 못 가에서 일어나고, 황새와 두루미는 구름 사이에서 춤춘다.

古苔凝靑枝, 陰草濕翠羽.

오랜 이끼는 푸른 가지에 엉겼고, 숨은 풀은 푸른 깃에 젖는다.

蔽空素彩列, 激浪寒光聚.

하늘을 덮어 흰빛을 펼쳤고, 격랑에 찬 빛이 모였다.

的皪沈珠淵, 錚鳴捐佩浦.

선명하게 구슬 같은 못에 잠겨, 쟁그랑 울리게 노리개를 澧浦에 버린다.

幽巖畵屛倚, 新月玉鉤吐.

그윽한 바위에는 화병이 기대었고, 초승달은 옥고리를 토한다.

夜涼星滿川, 忽疑眠洞府.

서늘한 밤별이 시내에 가득하여, 문득 神仙洞에서 자는가 의심한다.

得盧衡州書因以詩寄

林邑東迴山似戟, 牂牁南下水如湯.
임읍은 동쪽으로 돌아 산이 미늘창 같고, 장가강은 남하하여 물이 끓는 듯.
蒹葭淅瀝含秋霧, 橘柚玲瓏透夕陽.
갈대는 살랑살랑 가을 안개를 머금었고, 귤과 유자는 영롱하게 석양에 투명
하다.

答劉連州邦字

崩雲下漓水, 劈箭上潯江.
구름 무너져 이수로 내려오고, 화살 쪼개며 심강으로 올라온다.
負弩啼寒犴, 鳴枹驚夜尨.
쇠뇌를 메니 늦가을 검은 원숭이 울고, 북채 울리니 밤 삽살개 놀란다.

柳州峒民

青箬裹鹽歸峒客, 綠荷包飯趁虛人.
푸른 대껍질에 소금을 싸서 동굴로 돌아가는 나그네, 푸른 연잎에 밥을 싸
저자로 가는 사람.

鵝毛禦臘縫山罽, 雞骨占年拜水神.

거위 털로 섣달을 막고 산 담을 꿰매며, 닭 뼈로 일 년을 점치고 수신께 절한다.

登柳州城樓寄漳汀封連四州

城上高樓接大荒, 海天愁思正茫茫.

높은 성루가 국경에 접해, 바다와 하늘 끝의 애수 정녕 아득하구나.

驚風亂颭芙蓉水, 密雨斜侵薜荔墻.

광풍은 물 위의 연꽃을 어지럽게 흔들고, 폭우는 담 위의 왕모람을 사정없이 후려친다.

嶺樹重遮千里目, 江流曲似九回腸.

산과 수풀 겹겹이 가린 천리 밖, 강물은 굽이굽이 구곡간장이런가.

共來百越文身地, 猶自音書滯一鄉.

벗들은 백월 땅에 흩어지고, 편지조차 끊어져 고향 소식 막혔구나.

與浩初上人同看山寄京華親故

海畔尖山似劍鋩, 秋來處處割愁腸.

바다 언덕 뾰쪽한 산은 칼날 같으니, 가을에는 곳곳마다 수심의 애를 끊네.

若爲化得身千億, 散上峰頭望故鄉.

만약 화하여 몸이 천번 만번이나 변할 수 있다면, 흩어져 봉우리 끝으로 올라가 고향을 바라보리라.

秋曉行南谷經荒村

杪秋霜露重, 晨起行幽谷.
늦가을에는 서리와 이슬이 깊은데, 새벽에 일어나 유곡으로 간다.
黃葉覆溪橋, 荒村唯古木.
황엽은 시내 다리를 덮었고, 황촌에는 오직 고목만이.
寒花疏寂歷, 幽泉微斷續.
늦가을 꽃은 성글어져 적막한데, 깊은 샘은 희미하게 끊어졌다 이어졌다.
機心久已忘, 何事驚麋鹿.
巧詐한 마음 잊은 지 이미 오래니, 무슨 일로 고라니와 사슴을 놀래랴.

中夜起望西園値月上

寒月上東嶺, 泠泠疏竹根.
찬 달은 동쪽 고개에 오르고, 냉랭하여 대 뿌리가 성기다.
石泉遠逾響, 山鳥時一喧.
돌샘은 멀어 더욱 울리고, 산새는 때로 한차례씩 시끄럽다.

江雪

千山鳥飛絕, 萬徑人踪滅.
산에는 새들도 날지 않고, 길에는 인적이 끊겼는데.
孤舟簑笠翁, 獨釣寒江雪.
외로운 조각배에 도롱이 삿갓 쓴 늙은이, 눈보라 속 차가운 강물에 홀로 낚
싯대 드리우네.

漁翁

漁翁夜傍西巖宿, 曉汲淸湘燃楚竹.
늙은 어부 밤중에 노를 저어 서쪽 바위에서 자고, 새벽에 맑은 상강의 물을
길어 초나라 대를 지펴 밥을 짓네.
煙銷日出不見人, 欸乃一聲山水綠.
연기 걷히고 해가 떠올라도 사람은 보이지 않고, 어기야 노 젓는 소리에 산
도 물도 푸르네.
回看天際下中流, 巖上無心雲相逐.
하늘 끝을 돌아보며 중류로 내려가는데, 절벽 위로 무심한 구름만 떠가네.